柯玉雪著

錦瑟恨史

——廣播劇選集——

文史哲出版社印行

國立中央圖書館出版品預行編目資料

錦瑟恨史：廣播劇選集 / 柯玉雪著. -- 臺北市
：文史哲，民８１
面； 公分.
ISBN 957-547-129-6(平裝)

854.7 81003135

錦瑟恨史

著　者：柯　玉　雪
出版者：文　史　哲　出　版　社
登記證字號：行政院新聞局局版臺業字五三三七號
發行人：彭　正　雄
發行所：文　史　哲　出　版　社
印刷者：文　史　哲　出　版　社
台北市羅斯福路一段七十二巷四號
郵撥〇五一二八八一二彭正雄帳戶
電話：三 五 一 一 〇 二 八

實價新台幣二六〇元

中華民國八十一年六月初版

ISBN 957-547-129-6

錦瑟恨史 目次

——廣播劇選集——

蘇序

自電視機來到台灣以前，我們聽電台廣播。電視一來，廣播便打入冷宮，以爲台灣更沒有廣播了。數年前，與柯玉雪女士通訊，才知道廣播依然興盛，她便是一位善作廣播劇的人員。

最近，玉雪寄來她所撰寫幾本廣播劇本，是「助聽器的妙用」、「守住田園守住家」、「瞎了眼的人」、「錦瑟恨史」等等。

記得我以前寫過一篇文章，說文藝也像人生，分「童年」「少壯」「中年」「老年」四個階段。神靈故事及各種傳說，其起最早，富於幻想及趣味，爲兒童所深愛，屬於兒童期，是爲神話及寓言文學。金戈鐵馬的戰爭，蠻荒絕境的探險，山盟海誓的死生之戀，爲血氣正盛的青年所嚮往，是爲浪漫主義的文學，屬於少壯期。人生千態，社會百面，神姦巨蠹的作爲，勾心鬥角的謀略，如謀殺、通姦、盜竊、詐騙諸事，爲中年人所欲知悉，所欲探究，這類文字也就投其所好，日益發達，屬於中年期，自爲寫實主義及自然主義文學。人到老年，志氣灰冷，百無作爲，他們因閱歷太廣，經驗太多，對世間萬事，每打開後壁來看，覺得毫無意味，自然都患上老人憂鬱症或老人沮喪症，發出人生荒謬，世事空虛的理論。而沙特、卡繆、卡夫卡的存在主義，在現代大行其道，就是這個原因。我主張存在主義是老人文學，而一般青年人竟趨之若鶩，深不可解。也可見青年人無定見，只會趕時代潮流的毛病。

柯玉雪女士是一個二十幾歲的少女，她寫文章竟能略去荒唐悠邈的童趣，和風花雪月、乾啼濕哭的兒女戀情，一躍便躍到中年人的寫實和自然主義。她寫賭場的欺詐，股市之被壞人操縱，漲落無常，公司職員之欺瞞老闆，監守自盜……揭露鬼域面目，無不入木三分，令人拍案叫絕。她對近年一些奸黨只想爲圖一已之私，或報效他們的主子—日本主子或中共主子—起見，利用政府對他們的寬容，終日在國會立院，大演肢體言語，不惜騰笑萬邦，或率領一群流氓痞棍，遊行街市，阻礙交通，破壞公物，其至竟敢焚燒國旗，損壞偉人銅像，塗抹公共建築，一心想分裂國土，推翻現政權，另建他們理想的邦國，其實是爲他們主子效死力。這些東西，實比石敬塘、劉豫、吳三桂更可惡。

尤其可恨者，他們每用些甜言蜜語，哄騙在校純潔青年，爲之鷹犬。及青年受害，悔之已晚。凡此種種，玉雪女士在她所編之廣播劇中繪聲繪影，歷歷舉出，實是發人深省，令人警惕，有功于世道人心不淺。

我自愧自己是一個年逾九秩，行將就木的人，一生從事各種文藝的寫作，寫劇本則甚少嘗試。而且我是渾然一書癡，對世事甚少瞭解。就是寫劇本吧，若用歷史題材，我是感興趣的，談到社會萬態，人生百面，我就茫然了。今見柯玉雪女士，以小小年紀，居然能以她一支圓轉自如的筆，加以深刻的描繪，實爲欽佩，安得不爲介紹如上。

玉雪女士除了這些人生百態以外，還寫了一個歷史劇，就是本集中題爲「錦瑟恨史」者是。我在一甲子以前，寫了一本「李商隱戀史考」，歸上海北新書局出版。李詩素無人能解，我以爲發千古未知之秘，頗覺沾沾自得。但書出後，讀者漠然。抗戰勝利後，我改書名爲「玉溪詩謎」歸商務印書館發行。大陸淪陷，政府播遷來台，此書亦曾在台再版。近數年漸有人對李詩發生興趣，尤其對「錦瑟」一詩，論者更多，對我的說法隱持反對論調，我不得已又有續編之作，與原作合爲正、續編。當然反對者還是反對，我也不去管它。柯玉雪女士讀我此書獨表贊許，撰「錦瑟恨史」一個廣播劇。聞已在電台播過，特寄錄音帶一卷來，我因家無播音器，尚未播聽。但讀玉雪這一劇本，覺她寫得甚好。不由得要引她爲我李詩研究知己之一。所以更高興介紹了。

民國八十一年三月廿六日蘇雪林于台南春暉山館

鍾序

姜龍昭先生是我國當代編劇家，他所編著的電影、電視、舞台劇以及廣播劇本，無不風行一時，獲得了廣大觀眾與聽眾的熱烈迴響。他也曾擔任「中視」的電視劇製作人，製作許多極爲膾炙人口的戲劇節目，如「情旅」、「春雷」、「長白山上」、「香妃」、「青天白日」、社教節目如「大時代的故事」等等，都是非常成功之作。而本書的作者柯玉雪女士，就是龍昭老弟的夫人，雖不能說是「強將手下無弱兵」，但可以想見在他們伉儷之間，志同道合，夫唱婦隨，共爲戲劇藝術而耕耘，同享豐收季節的喜悅，實在是值得稱羨的一對佳侶。

六、七年前，我曾經參加過他們的結婚喜宴，當時只聽說這位嬌小的新娘，是一個具有音樂天份的女孩子。其後到了七十九年十二月間，我被「中國作家協會」推派爲中華民國作家代表團團長，偕同老伴兒隨團前往韓國釜山，，出席「中韓作家會議」，一行二十餘人，而龍昭和玉雪伉儷也參與了這次的代表團，會後大家並訪遊日本東京等地而歸。一路之上，在甚多同行共餐的機會之中，聊起天來，除了暢談龍昭老弟對於「香妃」的考證研究，仍在鍥而不舍，而且此類著述日多，由當年的製作人至今已成「專家」之外；也知道玉雪弟妹，這些年來努力於戲劇創作，卓然有成，特別是在廣播劇本方面，不僅成果豐碩，並且獲獎多次。眞可以說是「士別三日」，不但要「刮目相看」；而所謂「江山代有才人出」，更使人欣喜不已。

自從電視興起之後，在人類日常的生活領域之中，逐漸形成了一種「沛然莫之能禦」的強勢媒體；相形之下，電影和廣播事業等必然受到相當程度的影響。而事實上並不盡然。以廣播而言，它所具有的「無遠弗屆、無所不在」的特質，是任何媒體都無法取代的。而廣播劇的創作、製作、和播出，也較任何形式的劇種都有更廣闊、更自由的發揮空間，和可供聽眾各別自我想像與回味思索的餘地；其「趨以象外」的特殊功效，有時候也是遠非「具象」的侷促表現所可顧及的。

猶記得四十年前，我在「中廣」公司服務的時候，曾受張道藩先生之囑，和姚加凌、趙之誠、王鼎鈞諸位先生，爲創制與改革「廣播劇」而努力下了一番功夫，使其在形式與內容各方面，把握並發揮了「聲效」的特質，完全擺脫了向來以舞台劇權充廣播劇的作法。同時並由我寫了第一部「廣播劇」以作爲示範，供用參考，播出之後受到各方重視與好評，並承王鼎鈞兄譽爲廣播劇的「鋪路功臣」，姚加凌兄竟稱道爲「雄才大略」，實屬愧不敢當。而今，這些當年的廣播老兵，能夠欣見新秀輩出，薪傳有人，對本書作者玉雪女士自應要予最高的期許與厚望。

本書作者除「廣播劇」之外，也有其他多方面的寫作才華；在這本「錦瑟恨史」廣播劇集推出之後，我們也期待著她有更多更豐碩的戲劇與文藝作品，不斷的呈現於觀眾和讀者之前，使我們看到中國文壇與劇壇，有一顆閃亮的新星之昇起。

八十一年，台北市華實樓。

姜序

「廣播劇」在台灣演播，已有近四十年悠久的歷史。

在四十年代，是廣播劇的黃金時代，坊間曾先後出版了好幾本「廣播劇選集」，可是到五十年代，因為電視劇的誕生，廣播劇就開始受到威脅與衝擊，近卅年來已很少見有人再出版「廣播劇選集」，主要是出版社，多不願做賠本的生意，廣播劇的作者，雖有心出版，也有無力感之嘆。

一些年青的朋友，有意從事廣播劇的寫作，也缺少是項參考書藉可看。

七十二年，我以在國立藝專、世界新專、輔仁大學等多年授課的講義，編著了一本「戲劇編寫概要」，由五南圖書公司出版，其中，除了介紹電視劇、舞台劇、電影劇本之寫作要領外，有一章專門闡述「廣播劇之寫作」，這本書出版後，頗為讀者歡迎，一版，再版售罄後，現在已出版了三版增訂本。

柯玉雪與我相識，也是由這本書做的橋樑。

七十五年我們因志趣相投，相愛而結成了夫婦。從此，她開始迷上了戲劇的寫作。

在這以前，她已在報紙上發表過不少散文、小品作品。但自七十五年十二月十一日，我倆婚後，這六年來，她除了熟讀我的這本有關戲劇理論的書籍外，廢寢忘食的閱覽了不少我以往出版的其他劇本，以及我四十多年蒐藏他人出版的劇本，更重要的是，我不時帶她同去看電影、觀賞舞台劇，更經常週日，一起收聽電台的廣播劇，平時收看電視單元劇、連續劇，多半看完或聽完一齣戲，兩人經常作深入的研究討論，有時，我也將自己的編劇經驗，予以舉例傳授，在六年的潛移默化中，她比別人學到了更多的編劇技巧與絕招。

從七十五年到八十一年，這六年中，她因過去閱讀過不少老莊的書藉哲學及有關文學作品，加上天資聰穎，眞是進步神速，成績斐然。七十六年六月，她第一本寫的廣播劇：「助聽器的妙用」，在中廣公司「名劇精選」的時間內播出，接著「守住田園守住家」、「瞎了眼的人」，又分別在警備總部青溪新文藝學會舉辦的「金環獎」徵文中，獲得廣播劇的「銀環獎」、「佳作獎」等榮譽。

八十年，她寫的閩南語廣播劇「我愛原則我愛你」以及「千古風流人物」國語廣播劇：「錦瑟恨史」，也先後爲「中國廣播公司」及「漢聲廣播電台」採用播出。

六年中，她編寫的電視劇本，也在中國電視公司播出，舞台劇本更獲得文建會舉辦的「編劇研習班」的「劇本獎」。只有電影劇本，雖是寫成了，但因目前電影業普遍不景氣聲中，未有被電影公司願意採用投資拍攝。

劇本以外，她又繼續參加一些「小說」、「散文」、「現代詩」寫作訓練班的講習與訓練，並先後在「民眾日報」、「台灣日報」、「中華日報」、「新生報」、「立報」及「暢流」、「廣播月刊」等雜誌投稿，獲得發表。她寫的小說、散文、詩、小品、劇評……各種不同的文體，也均有相當豐碩的收穫。

如今，她決定先出版一本「廣播劇選集」，以後再陸續出版其他的單行本，一方面為了記錄她六年戲劇寫作過程中，留下的一些「腳印」，作一個紀念，另一方面也給愛好寫作廣播劇的同好，多一本參考的書籍。緣此，我非常高興的為她寫這篇序文。

最後，我特別用尼采的話，來與她共勉：「對於一切寫作，我祇喜歡一個人用他的血，寫出來的東西」。深盼未來的日子，她能有更好的作品，呈現給大家。

姜龍昭 八十一年二月廿二日燈下

自序

「奮鬥的過程中，我們必將遭受很大的痛苦，而且奮鬥的目標愈大，所要忍受的痛苦也愈多。」

民國七十二年，當我讀到故總統　蔣經國先生寫的這段話後，就以此寫了一篇「知勉心得」的文稿，投寄到「南市青年」，意想不到被發表了，從此便開始了我的寫作生涯。那時，我十七歲，離開父母家鄉，隻身在台南半工半讀。住在兩坪大的斗室中，除了分期付款自購的國產鋼琴外，就是鐵床，書桌、及收音機而已。每天忙著上班、上課、練琴；空閒時，唯一的娛樂，就是收聽「廣播劇」。

收聽「廣播劇」，事實上從我幼年就開始。父親繼承祖業，終年在嘉義縣義竹鄉的溪洲村種稻，剛分家時經濟困難，我尚未入小學，一家六口，擠在一個四塊塌塌米的通鋪。父親每天晚上都要聽完廣播節目：「義賊廖添丁」後才能入睡。說起來很有趣，我當時既內向又膽小，廣播劇裏有時候出現「壞人」的聲音，我總是被嚇得躲在棉被裏，心裏害怕卻又愛聽，如今回憶起來，恍如昨日。

猶記得，當我將第一次被刊出的文字，寄給第一位鼓勵我寫作的師長—張起鈞教授，請他指教時，他很高興的把我文末最後的兩句話：

「成功在你的手中，而喜悅在你心中」

用毛筆字書寫在宣紙上，並裱後郵寄給我，希望我能以此自勉。張教授教了我不少有關「老莊哲學」的學問，使我獲益良多。遺憾的是，如今我的第一本書出版，張教授卻已仙逝多年，再也不能向他求教了。

由於一連串無從解釋的奇緣，使我嫁入姜家。我的丈夫總是希望，把他多年的寫作經驗傾囊傳授給我，而我也一直盡最大的努力，來學習戲劇創作。最早著手寫廣播劇劇本，則是婚後的事。

回顧七十六年至八十年這五年中，在龍昭的不斷鼓勵下，我前後參加了不少有關「文藝寫作」的訓練。

先是七十六年九月，我以「助聽器的妙用」一劇之播出，獲得入選參加了文建會舉辦的「青年文藝作品研討會」結業。

接著，七十七年二月，文建會委託國立師範大學人文教育研究中心辦理，爲期半年的「文藝創作研習班」。我前後參加了二期，第一期學的是「戲劇組」。著名的閻振瀛教授、黃美序教授。劇作家朱白水先生，賈亦棣先生、貢敏先生、饒曉明先生、陳玲玲教授……都曾給我上過課，使我獲益甚多。我寫的舞台劇「火坑」也在班上得獎，獲得出版。第二期學的是「散文組」，此期間，楊昌年教授的熱心教導，使我印象深刻，我們這班在楊教授的感召下還組成「讀書會」，直到現在仍彼此砥礪，常常連絡。

七十八年十二月，我又參加了中國青年寫作協會舉辦為期三個月的「小說創作研究班」，研習小說之寫作，指導教師司馬中原先生，鄭明娳教授、林燿德先生……使我對小說之創作，也有了進一步的認識與瞭解。

七十九年三月，我又參加了中國青年寫作協會舉辦的「文學與電影—立體鑑賞營」，看了不少經典電影作品，對電影方面也增添了不少知識。是年八月，又參加了「台灣省新聞處」與「聯合報」、「聯合文學」、「台灣月刊」聯合舉辦的第六屆全省巡迴文藝營「現代詩」組的講習，很多聞名已久的詩人：簡政珍、向明、商禽、沈花末……都在講台上展現他們屬於現代詩人特有的風采，使我除了散文、戲劇、小說之外，對現代詩也有了不少深入的接觸。

八十年三月，很炎熱的夏天，我又報名參加了文建會與中國廣播公司合辦的「廣播劇研習營」第一期，研習有關廣播劇的寫作並實習。這次為期二個月的訓練中，有楊仲揆先生、姜龍昭先生、高前先生、戴愛華導播、葛大衛導播……等廣播界前輩授課指導，使我對寫作「廣播劇」也摸到了不少要訣。

此外，這些年來，我又持續在「國立空中大學」人文、社會學系苦修學分。所讀的各門教科書，也讓我在思考方式、理性判斷……等智識能力，比以前更上層樓。

曾經有位「小說研究班」的同學告訴我，他說：「你給人的感覺像個軍人。」我笑而不答，只是在心裏思忖著：「是的，我確實對待自己，像個迎向戰鬥的戰士一樣」。因爲我未來的環境正待我去征服。所以必須有堅定鋼鐵般的意志，才能向勝利之路挺進。

這六年來，承中廣公司、漢聲電台不棄，多次採用我的作品，又幸得龍昭不斷的督促鼓勵，使我寫的這第一本書能順利出版。

此外，我還要特別感謝的是，在成功大學執教已退休的蘇雪林教授，如果我沒有拜讀她的大作「玉溪詩謎正續合編」（商務印書館出版）就不可能寫出「錦瑟恨史」這齣「廣播劇」了。該劇在寫作過程中，蒙她老人家一再指導，使我深入的研讀了十幾本有關「李商隱」著述生平之參考書籍。劇本完成後，又蒙她仔細爲我審閱修改，這種幫助後學的薪傳精神，是我永難忘懷的。

其次，在我專心寫作時，幸有姜蜜、姜寧、維平自願幫我照顧杰兒，並以愛心帶杰兒出去玩耍，使我能有充裕的時間埋首書桌，銘感之餘，也惟有今後不斷自求精進，俾不辜負他們的美意。

最後，這本廣播劇集的出版，是我寫作旅程中繳出的一份「成績單」，希望愛護我的師長，好友、讀者們多予賜教雅正。

柯玉雪寫於八十一年三月八日

八十年三月一日與蘇雪林教授合影於其家中

七十九年十二月二日與鍾雷夫婦、林明德教授、姜龍昭合影於中韓作家會議會場

錦瑟無端五十絃
一絃一柱思華年
莊生曉夢迷蝴蝶
望帝春心託杜鵑
滄海月明珠有淚
藍田日暖玉生煙
此情可待成追憶
只是當時已惘然

錄李商隱錦瑟詩

助聽器的妙用

助聽器的妙用

（民國七十六年六月六日在中廣國語「名劇精選」播出）

柯玉雪編劇

劇中人物：

杜院長：六十三歲，醫院院長。（長）
鄭敬仁：醫師。（仁）
黃秀曼：女護士。（曼）
廖盈秋：三十餘歲、醫院的出納員。（秋）
吳主任：四十餘歲，醫院的會計主任。（吳）
簡老闆：院長的老鄰居、電器行老闆。（簡）

（音樂、劇名、演職員報幕）

（早晨清靜的鳥叫聲）

（簡、長慢跑的腳步聲，由遠而近）

簡：（微微喘著氣）院長，我們在公園裏，休息休息再跑，好不好？

長：（喘氣聲、跑步聲）

簡：院—長—（聲音稍大，拉長）

長：什麼？（二人均停止慢跑）

簡：我們在公園裏，休息休息再跑，好不好？

長：你說什麼？

簡：（聲音提高放大）我說，我們在這兒休息一下，好不好？——

長：哦！好……好……

簡：（以下簡的聲音均稍大）院長，你是怎麼了？最近，我跟你說話，你老是要再問我一次。……有時候，我叫你，你也不理我。……到底是怎麼回事？……

長：唉！……這一陣子，我的耳朵好像愈來愈不行了，不知道的人，還以為我擺架子，……唉……我擺架子給誰看呀！……

簡：（驚訝地）原來是這樣子，還好，要不是我忍不住問你，……我也真會以為你在耍大牌哩……哦：對了，為什麼不裝助聽器呢？

長：怎麼會沒有裝？已經試過好幾種不同的品牌，還是聽不太清楚。……我得的是老年聽力衰退的毛病，連開刀都沒法子治囉，何況是助聽器……

簡：嗯……這毛病很難纏。……我有一個朋友，專門做助聽器經銷。前些天，他送貨到我店裡時，跟我提起——大概過一兩個禮拜後，有一批最新發明的電腦式助聽器，要從西德空運過來。問我，要不要讓他先寄賣看看。他說，這種新式助聽器，是專門爲老年人設計的，效果比一般市面上賣的，要強上好幾倍哩！院長，到時候您可以來我店裡試戴，說不定……

長：（緊接）就能恢復聽力了……要眞像他說的那麼有效，我一定買一個。……不過，你要先讓我試用一個星期，證明確實有效，我才能付錢給你，不然就退還，可以嗎？

簡：呵……（笑聲）當然可以。等貨一到，我就通知你來試戴。

長：我看時間不早，我們該回去了。

簡：好……起步跑——（喊口令的腔調）

（兩人慢跑的腳步聲）

（買賣吵雜聲）

長：早上來這兒運動的人愈來愈多，緊跟著爭著來這兒做生意的小販也愈來愈多了……生意好像還不錯呢……

簡：是啊……（驚訝地）耶……那不是你們醫院會計室的廖小姐嗎？

長：是呀，大清早她在那兒做什麼？好像在賣東西……

簡：我們過去看看……

（叫賣吵雜聲比前稍大）

秋：（叫賣著）運動衣一套兩佰元，工廠直營……一套兩佰……（聲音縮小）啊！是院長……糟了……他從這邊來，……要躲也來不及了……眞不好意思，裝作沒看見，算了……

（聲音回到原來叫賣的音量）……工廠直營的運動衣，每套兩佰……

簡：廖小姐，你早！

秋：您早呀，簡老闆，院長，您又和簡老闆在晨跑了。

長：嗯……妳每天一大早就來這裡賣運動衣，是嗎？……我以前怎麼沒看過妳在這裡賣衣服？……

秋：有時候，我在別的地方賣。

簡：那今天不必到醫院上班嗎？

秋：當然要，……不過今天我輪到晚班，早上這段時間，不必上班。

長：生意好不好？

秋：馬馬虎虎啦！

簡：廖小姐，你怎麼會想到來這兒賣衣服……勤勞是一種美德，……不過可別太辛苦，要注意自己的身體啊！

秋：謝謝簡老闆，反正閒著也是閒著，不會很累的。

長：簡老板……我們該回去了，讓廖小姐專心做生意吧！

（眾人喧鬧聲，頻頻有人喊：「警察來了」）

（警哨聲「嗶，嗶」）

秋：警察來了，我先走了，（驚慌地）簡老闆，院長，再見。

（秋跑步聲）

簡：小心，別摔跤了！

長：（自語）奇怪，廖小姐在我醫院做事，難道領的薪水還不夠用，非要那麼辛苦去擺地攤不可？

簡：肚子快餓扁了，我要趕快回家吃早餐了……院長再見！

長：再見！

（音樂）

（打字機聲音）

秋：呵……（音量很小的呵欠聲）主任，報表做好了。

吳：嗯……放在我桌子上就好，……還有別的事嗎？廖小姐……

秋：我……主任……你你……我……

吳：這裏沒有別的人，有什麼事，你儘管說！

秋：我是說……是說，不知道您手頭方不方便，能不能借一些錢給我……我現在需要一筆錢。

吳：嗯……要多少？

秋：二十萬塊。有沒有？

吳：（一驚）二十萬？這可是一筆大數字啊！妳要二十萬塊，做什麼用？

秋：這……這……

吳：妳似乎有什麼難言之隱。

秋：這個，……我不知道該怎麼說，才好！

吳：既然不方便說，我也就不多問，……不過，妳總得告訴我，這錢什麼時候要？

秋：如果可以的話……當然是愈快愈好……利息，我會照付。

吳：一下子，我手邊沒有那麼多現款……目前，我最多能借你十萬塊，妳覺得怎樣……要的話，我後天就可以把錢拿來。另外十萬妳再自己想辦法！

秋：主任，謝謝你，……那後天，我就寫一張借據給你，利息照老規矩計算，每月付你利息！

吳：好……不過我借錢給妳這件事，希望妳不要宣揚出去，……前幾天，有一位同事向我借錢，我沒有借給他，不太好意思。

秋：當然，我自己向人借錢，還好意思到處去宣傳嗎？您請放一百個心。（不舒服）哦：
哦……

吳：你怎麼了？

秋：只是有點兒頭暈而已，沒有關係的……

吳：眞的沒有關係嗎？要不要躺下休息休息。

秋：不用不用，可能是貧血引起的，……不要緊，等會兒就好了。

吳：我們同在一個辦公室上班，也不是一天兩天而已，這一陣子，我看你臉色一天比一天蒼白，……你自己要注意。

秋：我會注意的，謝謝主任。

吳：對了，廖小姐，這兩張送貨估價單，麻煩妳有空時，送去給值班的醫師或護士簽名……簽好了，再拿回來放在我桌上。

秋：好，我這就去。

（音樂劃過）

（蒸氣消毒機，噓噓……作響）

秋：秀曼，你在消毒器材啊……

曼：秋姐，妳來我們這裏是——？

秋：是我們主任要我拿這張單子來給值班的醫師簽名，……今天是那位醫師值班？

曼：是鄭醫師。

秋：那麼鄭醫師，現在人呢？

曼：你忘了現在是開醫務會議的時間啦！

秋：哦，對，對，我眞的忘了呢！

曼：妳要找他的話，要待會兒再來，他開完會還要去向院長做上午的醫務報告……不會那麼快來這兒巡視的。

秋：那不用等他了，……妳簽也一樣，吳主任說，給値班的醫師或護士簽都可以的。

曼：簽在這下面是不是？

秋：嗯，還有一張。

（筆在紙上簽字的沙沙聲）

曼：秋姐，這樣可以了吧！

秋：可以了，你繼續忙妳的吧。

曼：等等，……別急著走，秋姐，妳最近瘦多了，我一直想問妳呢？

秋：眞的嗎？……瘦了才好，現在不是流行苗條嗎？……有的人想減肥，減了半天，還不一定瘦得下去。

曼：話是沒錯，但，也要注意身體，……太瘦了抵抗疾病的能力也跟著減弱，這總不太好吧！

秋：對，我的好護士，說得一點也沒錯。
曼：有一件事，我不知道該不該說？
秋：吔！我們的秀曼小姐，什麼時候變得這樣，說話吞吞吐吐的？
曼：好吧！那我直接了當地說就是了。……我有一個表兄，常來這兒幫他母親拿藥……他已經快四十歲了，還沒有結婚，……他想和妳做朋友，要我先來探探你的口氣。
秋：我現在那有心情談這些？況且……唉……
曼：……妳的先生已經去世好久了……我表兄不會介意妳有一個小孩的，他是眞心誠意想和妳交往的……妳也應爲自己的幸福著想呀！
秋：不是他介不介意的問題……而是，我的小孩，……我的小孩……
曼：妳的小孩怎樣？他那麼小，才上幼稚園，難道會反對不成？
秋：我的孩子不是……唉，算了，你不會了解的，……反正目前我不想談交男朋友的事，秀曼，謝謝妳的好意，……我走了……
（音樂）
曼：秋姐，秋姐，……奇怪，她是怎麼了，說到她的小孩，就好像很難過的樣子。
（門打開的聲音）
吳：鄭醫師，是你呀，我正要敲門，進去向院長做業務報告。
仁：我剛向院長報告完，……不過現在裏面還有一位主任在做業務報告，你可能要稍等一等。

吳：剛剛，我完成一個統計，……你老兄是目前獲得院長發給考績獎金最高的一位，眞了不起！

仁：我只是盡我一個做醫生的責任而已。

吳：你太謙虛了，不過那些獎金實在令人羡慕。不過……

仁：不過什麼？……

吳：如果我是你早就……早就……

仁：早就怎樣……

吳：（壓低聲音）早就自已開業了，……鈔票滾滾而來，又不必受人約束，多自由。

仁：我覺得，來這兒上班一樣很自由，……再說，要開業需要一筆數目不少的費用，要添購很多器材，不是一下子就能做到的，……當一個醫生，職責是幫患者看病，減輕他們的痛苦，……我想，有沒有自已開業，並不是最重要的。

吳：鄭醫師，你說得對，……不過大部分的醫生恐怕不會像你這麼想，……像我就不那麼想，……我學的是會計，我的同學好幾個都自已有會計師事務所，大模大樣地當起老闆，只有我還在這兒苦哈哈地幹這個會計主任。……還不是因爲開業經費太大，……想起來就嘔！

仁：吳主任，你也不用太灰心，……我想，總有那麼一天的。

吳：那不知還要等多久。我該進院長室去了。
仁：我也該回診療室了，再見。
（門關上的聲音）
（翻簿本聲，最後本子合上）
長：吳主任，你來了。
吳：是的，院長，……這是今年上半年總帳，請院長過目。
長：什麼，……請大聲一點，……
吳：這是今年上半年會計年度的總帳，請院長過目，（以下音量稍大）
長：嗯，先放在書桌上，有時間我會仔細看。……我的耳朵愈來愈沒用，……以後，你跟我說話，要大聲點，我才聽得清楚啊！
吳：是的，院長，……沒有其他的事，我回會計室去。
長：等一等，……昨天，醫院的股東召開股東大會，……有人提議，以後每天的送貨估價單都要整理成冊，……不定期地送到我這裡來，以便股東代表來查時，讓他們了解實際情形。……這一點，請吳主任多費心，……
吳：是的，院長，您請放心。
長：好，沒有別的事：……你可以回你的辦公室，做你的工作了。
吳：是的，院長，我走了。

（音樂）

（夜市的喧鬧，叫賣聲）

秋：運動衣、運動褲，……工廠直營……一套兩佰……貨眞價實的運動衣。

曼：（喃喃自語）討厭，姊姊去打電話，怎麼打這麼久，……算了，我自己先到那邊看看運動衣。

秋：運動衣，……小姐，運……啊，秀曼，是妳呀……

曼：秋姐，妳怎麼在這兒——？難怪我老遠聽見就覺得聲音好熟，好熟……我和姊姊出來逛街，她在那邊打電話……我一個人等得無聊，到處看看。

秋：嗯，要不要買一套運動衣呀……我算成本賣給妳，不賺妳的錢。

曼：眞的嗎？……這多不好意思？……

秋：沒有關係，你儘管挑你喜歡的。

曼：那我就不客氣囉，……這兩套那一套好？

秋：我看起來都一樣，只要妳喜歡就好。

曼：眞是的……這等於沒說嘛，……秋姐，妳怎麼會想到，來這兒賣衣服了……

秋：反正閒著也是閒著。

曼：妳不會累嗎？

秋：習慣了，剛開始時，確實很累，……現在，就比較不累了。

曼：哦，那妳是不是，每天都在這兒賣。
秋：也不一定。
曼：像我們醫院，有時輪早班，有時輪晚班，……那你怎麼辦？
秋：如果有人願和我換早班，我就儘量來這個夜市賣，……不得已上晚班時，我就到醫院附近那個公園去賣，……但沒有這裡生意好。
曼：我聽說，擺地攤要「跑警察」不然會被罰錢，是眞的嗎？
曼：怎麼說？
秋：像這個夜市，攤位是要租的，警察不會來取締，……如果來，也是取締那些不守規矩的人……像我，規規矩矩做生意的，是不用怕警察的。
曼：租金貴不貴？
秋：差不多啦……買一個安心，就値得了，不然啊！
曼：不然怎麼樣？
秋：像公園那邊，警察一來，就不能做生意。
曼：繳了租金，爲什麼還不准做生意呢？
秋：妳誤會了，公園那邊統統是違規擺攤、非法營業的。
曼：這還差不多，……我要這一套……
秋：好，我來包起來。

曼：啊……我姊姊在那邊向我揮手，我得走了……這是兩佰塊……我們明天見，拜拜。
秋：拜拜……（感傷地自語）能像秀曼這樣快快樂樂眞好，唉，快樂好像離我愈來愈遠了。
（音樂）
（敲門聲，稍大）
長：請進。
吳：院長，我來了……找我有什麼事嗎？
長：吳主任，你先請坐，……事情是這樣的，有股東代表反應，上個星期的估價單有問題……我一查，的確有一筆約十萬元的帳目和實際送的貨價不符，……我想，你應該能解釋，或找出原因在那裏？
吳：嗯，我看看……
（翻簿本的聲音）
長：如果你找不出原因，你可能要在股東會議上說明，以便讓他們自己來問你了。
吳：院長，我想，我知道問題出在那裏了，喏……就是這兩張送貨估價單，都是由值班護士簽字……醫師比較知道針藥及儀器的行情，就會發覺錯誤要求送貨商改正，只有護士，不太知道行情，才可能會犯下這種無心的過錯。
長：MISS 黃怎麼會這麼大意呢？……好了，吳主任，既然這樣，你先回辦公室，我再查一查到底是不是她的失誤，……還有，以後估價單一律硬性規定，必須由值班醫師來簽就好了。

吳：是，那我走了。

（撥電話聲）

長：鄭醫師診療室嗎？

仁：是的。（電話中聲音）我是鄭敬仁。

長：我是院長。

仁：院長，找我有事嗎？

長：不，我找MISS黃。

仁：哦，她在幫病人量血壓，我現在叫她來接電話！

長：不用了，請你告訴她，要她到院長室來就好了。

仁：好。

（卡察，放下聽筒聲）

長：（自言自語）MISS黃是個善良的女孩子，應該不太可能會做出犯法的事來，……可能是她無心之過，……不然……也許另外有人在搞鬼……，我一定要查清楚……但，單子上面是她簽的字，又怎麼說？……

（咚……敲門聲）

（咚……稍大）

曼：院長，我來了。
長：（仍在自言自語地）……到底問題出在那裏呢？
曼：（提高聲音）院長！
長：哦，請進，對不起，我重聽，讓妳叫好久的門了吧！
曼：沒有關係……聽說院長找我？
長：MISS 黃妳看，這兩張送貨估價單上的名字，是不是妳簽的啊？
曼：嗯，沒錯……是我簽的沒錯。
長：妳知道，……簽下這兩張單子，要讓我們醫院白白損失十萬塊錢，你知道嗎？
曼：呃……我不知道，我眞的不知道……怎麼會這樣，……那現在怎麼辦？
長：我找妳來，正是要問妳這句話。MISS 黃妳說該怎麼辦？
曼：我不知道……不過，如果眞的是我的錯，我願意賠償醫院這筆錢……但是，怎麼會簽一下名就賠那麼多錢，到底是怎麼回事？
長：這一批針藥和儀器實價只有十萬塊左右，而估價單上的數字加起來卻是超過廿萬，……那不是等於讓醫院，白白損失了十萬塊嗎？
曼：眞的是這樣嗎……當時我沒注意就簽下去了，眞該死，……請院長處罰我好了。
長：從妳進我這醫院來，表現一直很好，……做事也很認眞。但，這一次問題出得實在太大了，（略停）我常跟你們年青人說，一個人不論做什麼事都要仔細小心，尤其是當醫生護士的，任何一件小錯誤都不能犯。……病人很可能會因爲我們的一時疏忽，因而喪失寶貴的生命。……在金錢的方面也是一樣，也不可不小心。

曼：（委曲的）是，院長，我知道錯了。

長：不管是什麼單據，……只要是叫妳簽名的，一定要弄清楚，看清內容再簽，千萬不要再像這次，犯下這麼大的錯誤……

曼：（快哭出來的聲調）院長，……我知道錯了，……我……我會賠償的（激動的）……我……

長：MISS黃妳先不要激動……我不是在責罵你，是爲你好，念在妳在醫院工作一向很規矩，我暫時不處分妳，希望妳今後自己當心，要妳賠時，我自然會告訴妳。

曼：我會的。

長：好，沒有其他的事，妳可以走了。

曼：是，院長。

（開門聲，走路聲）

（快步跑的音效）

秋：秀曼……秀曼，你怎麼了？等一下，一定好好問問她。

（敲門聲）

秋：院長，我可以進來嗎？（大聲一點）

長：哦，請進！

秋：剛剛，電器行簡老闆的夥計過來，說你要看的貨，已經運到了，請您有時間去他那邊一下。

長：嗯，我知道了，謝謝妳，……廖小姐，有一件事，我不知道該不該問？

秋：院長，有什麼事，您請說。

長：妳爲什麼會想要去擺地攤？……是不是醫院裡的待遇太低，……或是有什麼苦衷？

秋：這……這怎麼會有什麼苦衷，我只是閒著不習慣，……另外，我也想多存一些錢，做爲小孩的教育費。

長：你小孩多大了？

秋：在唸幼稚園——中班。

長：有沒有想再結婚？

秋：現在還沒有這個打算……沒事的話，我想我該回辦公室做事了。

長：對不起，問到妳私人的問題，妳不會生氣吧！

秋：不會的，那我走了。

長：好。

（音樂）

曼：（哭泣聲）嗚……嗚……

仁：MISS 黃，你怎麼了？
曼：沒什麼！
（曼跑走的跑步聲）
仁：MISS 黃……MISS 黃……
（仁，追上去的跑步聲）
曼：（停止哭，但抽噎著）……
仁：MISS 黃，院長跟你說了些什麼……妳怎麼哭得這麼傷心？
曼：（抽噎著）……我……我……鄭醫師……我……
仁：秀曼，對不起，我可以這樣叫你嗎？
曼：可以。
仁：秀曼，我一直把妳當成自己的妹妹看待……妳受了什麼委曲，說出來也許心裏就會覺得輕鬆許多。喏，這是我的手帕。
曼：謝謝。
仁：好了，現在眼淚擦乾，不許再哭了。
曼：嗯。
仁：秀曼，現在你可以說了，到底是怎麼一回事？
曼：剛剛……院長罵了我一頓，我好難過。

仁：怎麼會呢？好好的，院長爲什麼要罵妳？

曼：因爲我簽了名的那兩張單子，害醫院白白損失了十萬塊錢。

仁：哦，有這回事？

曼：那天，輪到我和你値班，會計主任叫秋姐拿了兩張送貨估價單來要給你簽字。——

仁：我沒有接到啊！

曼：是呀，因爲你在開醫務會議，秋姐告訴我，他們主任說，如果値班醫師不在，値班護士代簽也可以。

仁：簽了個名就會這麼嚴重嗎？

曼：我當時也以爲沒什麼大不了的，只是簽簽名而已，……沒想到，院長卻說，實際送的貨與價錢不符……算算大概有十萬元的差額。

仁：這不能怪你，妳對針藥、儀器的價格不很熟……其實這件事我也應該負責，要不是我不在，也不會讓你來簽那兩張單子的。

曼：這也不是你的錯，你在開會呀。

仁：就算沒我的錯，我也該負起道義上的責任，這十萬塊院長若要你賠的話，由我來給你說話好了。

曼：鄭醫師你人眞好……不過院長說不要我賠。

仁：哦，眞的嗎？

曼：眞的！院長說不必了。

仁：嗯……不管怎麼樣，我覺得事情有點怪怪的，我找一個機會去問問院長好了，畢竟那一天是我値班，發生這種事，我也該問個清楚。……現在肚子裡唱「空城計」了！秀曼，我請妳吃飯去！

曼：不好意思。

仁：嘻（笑）別忘了，我把妳當妹妹看……跟自己的大哥還客氣什麼？

曼：好啦！（一笑）

仁：嗯，笑了！呵……我以爲你只會哭呢，呵呵呵……

曼：哼！討厭，儘笑人家！

（音樂）

（金魚缸送氧氣的馬達聲）

（院長哼著小調在清洗金魚缸的聲效）

（二個人腳步聲）

吳：瞧見沒有！院長，簡直把那些金魚當寶，醫院裏有的是工友，他還親自清洗魚缸。眞是沒事找事兒忙，……幸好現在中午休息，這中庭來往的人少。不然，以一個院長的身份，還——

秋：還在洗金魚缸，是不是？其實，院長並沒有把洗魚缸當作一個工作來做，而是當成興趣……你看，他不是一邊洗，還一邊哼唱著小調兒嗎！

吳：什麼興趣不興趣，他最有興趣的是錢——……還不是爲了怕工友不小心把魚弄死，所以只好自已動手來洗了。

秋：吳主任，我們別儘談院長了，……你不是有話要跟我說嗎？到底是什麼事？……我們就在這兒坐下來說吧！

吳：我想單獨與你談這件事。

秋：好啊，這中庭正巧沒有什麼人。

吳：院長在那裡，不太好。

秋：吳主任，你忘了院長的耳朵不靈光，除非你故意要講大聲一點，他才聽到。否則，他聽不到的。

吳：是啊，我差一點忘了，……好，既然他聽不見，我們就坐在這兒談好了。

秋：到底是什麼事？請你快說，好嗎？

吳：我們的事出問題了。

秋：（驚訝地）我們的事？……你別開玩笑了，我們那有什麼可出問題的事？

吳：簡單地說，是我借你的十萬塊錢，出了問題。

秋：沒的事，十萬塊你已經交給我了，我也付了你兩個月的利息錢了，那有什麼問題？

吳：問題就出在那十萬塊錢，不是我的。

秋：不是你的，那自然是你的朋友或親戚的……他們是想把錢要回去？是不是？
吳：廖小姐，你誤會了。那些錢是我從醫院的帳目中，先挪借給妳的。
秋：啊（驚叫！）
吳：噓！小聲點，院長在那裏呢！
秋：是醫院的，你事先怎麼不告訴我？
吳：我現在不是告訴你了嗎？
秋：你是在冒險，你知道嗎，這眞是太危險了。……這究竟是怎麼一回事？
吳：我會把事情原原本本告訴你，但，你必需先答應我一個條件。
秋：什麼條件？
吳：你要答應我，這件事絕不張揚出去。
秋：這……好吧！
吳：我自己有一點積蓄，是爲了要開一家會計師事務所，省吃儉用存起來的，都放在我太太的戶頭……想不到我太太，她瞞著我把那些錢都拿去做股票。那天，我叫她領十萬塊來借給妳，才知道最近股價暴跌，我那筆血汗錢，都已經賠得精光了。所以……
秋：所以，你就先挪用公款？
吳：不是挪用，是占用。我做假帳，把部份差額抽取出來，借給妳十萬塊，只是一小部份，大部份是拿回去給太太做股票了。

秋：已經賠了一筆了，還做啊！

吳：我太太說，她開始有經驗了，賠掉的錢一定可以賺回來，賺到足夠把會計師事務所開起來，自己當老闆。……我一時起了貪念，便……唉，現在，大部份假帳，雖然還沒有被揭穿，但，你這十萬塊卻出了紕漏。

秋：吳主任，如果不是你親口告訴我，我實在不敢相信這是眞的……這麼說，秀曼跟我說，她簽了兩張單子，害醫院損失十萬塊，就是你在搞的鬼囉！

吳：沒錯……現在院長以爲是黃小姐出的岔，我特別要告訴妳，院長問妳話時，妳要特別小心，不要讓他看出破綻……還有，我昨天叫妳放在會計室外隱密一點的地方的那一些單據，和半本帳冊妳放到那裏去了？

秋：我想不出什麼隱密的地方，就隨便把它壓在金魚缸下面了。

吳：我一定要找機會把它們燒掉才行……今天這些話，妳千萬不要對任何人說。

秋：這個……我很感謝你好心借錢給我，……但，我覺得紙是包不住火的，你對院長老實說，說不定他會原諒你，只要你把虧空補足就可以。

吳：這是不可能的，妳自己也牽涉在裏面了，……妳最好不要說出去……否則，我就硬說妳也有一份，看到時候妳怎麼說。

秋：吳主任，你……你……

吳：廖小姐，妳還是識相一點，乖乖地聽我的話，我另外有事要走了，妳自己想明白，放聰明一些，別自找麻煩，否則，後果妳自己負責。

（吳走了的腳步聲）

（院長哼小調聲）

秋：（自語）我該怎麼辦，該怎麼辦呢？……到底該不該說，唉，爲什麼，我不喜歡的事情，總是發生在我身上。

（音樂）

（餐廳嘈雜聲）

長：人眞多，看樣子，好像沒有坐位了。

仁：啊，院長是您，請過來這邊一起坐。

長：鄭醫師，最近忙嗎？

仁：院長，我正有事想請教您。

長：什麼事？……小姐，我要一份招牌飯。……你平常都在這家餐館吃飯嗎？

仁：不一定，……不過我知道院長都在這兒吃，所以特別來這兒等您。

長：哦！

仁：我聽 MISS 黃說，在我跟她値班那天，她因爲不小心簽了兩張估價單，害醫院損失十萬塊。

長：嗯，沒錯。

仁：那兩張單子，本來應該是我簽的，因爲我去開會不在，才由MISS黃簽。所以，在道義上我應該負起責任。

長：你要怎麼來負起責任。

仁：要賠的話，我願意賠償一部份的損失。

長：你有這樣的責任心，我很欣賞。不過這件事要等股東大會之後才能做決定。……況且，你並沒有錯，如果要賠也應由MISS黃自己負責，跟你沒有直接關係。

仁：這樣對MISS黃不公平。

長：其實，目前我並沒有叫她賠呀……醫院的一些帳出了問題，等完全查清楚了再說還不遲啊！

仁：也對。

長：飯菜到現在還沒有來，我肚子都快餓壞了。

仁：我去催一催。

（音樂）

曼：秋姐，原來妳在這後花園，害我找了半天，（喘著氣）人家都快急死了。

秋：中午休息時間，我隨便走走，瞧你，……急成這個樣子，到底是什麼事？

曼：有一個人打電話給妳，我到處找不到妳，就問他有什麼事。

秋：他怎麼說？

曼：他說，他是療養院的老師……要我儘快通知你，叫你馬上趕過去。

秋：還有沒有說別的什麼？

曼：他好像很急……是不是你的兒子出事了。

秋：嗯，我必須馬上去看看……這樣好了，秀曼，等一下上班，你幫我到人事室請假，然後請朱小姐代我的班。

曼：秋姐，我會的，妳快去。

秋：謝謝妳，我走了，再見。

曼：再見……（自言自語）秋姐的兒子爲什麼會有「療養院的老師」，如果他兒子住療養院，那是得了什麼病？……嗯，下次我一定要問清楚，希望他不要發生事情。

（救護車音效）

秋：小傑，你千萬不能丟下媽媽啊，啊，小傑，你要走了，媽也不想活了，小傑。（悲傷地哭泣）

曼：秋姐，妳鎭定一點，不要想太多。鄭醫師他們正在幫小傑動手術，相信不會有事的。

秋：秀曼，妳說，如果小傑走了，我怎麼辦？我是希望，小傑不會走的，秀曼，妳光叫我不要想這麼多，可是，他流那麼多血。

曼：妳現在著急也沒有用呀！

（開刀房門推開聲）

曼：啊！鄭大夫出來了！

（推車聲）

仁：廖小姐，手術順利完成，小傑已經沒有問題了。

曼：秋姐，你趕快去病房照顧小傑吧！

秋：好，謝謝，謝謝你們。

（音樂）

吳：趁現在旁邊沒有人，我得趕快把估價單，帳冊統統拿起來燒掉，免得留下證據。

（金魚缸被移動的聲效）

吳：啊，怎麼金魚缸下面沒有估價單？……再找一找，啊，原來在這兒！

（打開紙條的聲音）

吳：怎麼不是估價單！變成這一張便條紙（唸著）「若要人不知，除非已莫為」，如果你還想做人，給你一個機會，請你自動辭職。……呀，糟了，這是院長的筆跡，他怎麼會知道這件事？廖小姐不可能會笨到去告訴他的……那他怎麼會知道呢？唉，我完了，我完了。

（音樂）

秋：院長，您眞是太好了，我請那麼多假，您非但沒有生氣，還拿錢幫助我，實在不知道要怎麼感謝你才好！

長：那裏，那裏，這是醫院裏的同仁，大家捐出來的，鄭醫師和MISS黃才是大恩人呢？

秋：對。鄭醫師，要不是你，我兒子恐怕活不成了。

仁：別這樣說，這是醫生的本份。況且，大家互相幫助，疾病相扶持，是應該的，不敢說是什麼大恩人。如果不是在緊要關頭，MISS黃輸血的話，手術恐也不會那麼順利的。

秋：對，秀曼幫了我很大的忙。

曼：我很樂意這麼做，秋姐，您別放在心上。

秋：小傑這條命，是你們三位恩人撿回來的，這份恩情我不知道該怎麼報答……我先跪下來給三位磕頭。

長：廖小姐，你快別這樣。

仁：您快起來。

曼：秋姐，妳別這樣，我們都很樂意看妳的小傑，健康起來。

仁：是啊，小傑的事爲什麼不早告訴我們，反而把他送精神療養院。

秋：這孩子從小就有自閉症的傾向，去年夏天一個人在幼稚園裏不小心撞傷了，大量流血不止，花了十多萬塊，我才讓他住在那兒，沒想到……

長：那兒住著精神病患，發生意外的機會更大。我看這樣好了，以後就把小傑放在我們醫院裡，妳可以就近照顧，現在會計室吳主任已經辭職走了，新的人還沒有進來，妳就不要再去夜市擺地攤了，全天候留在醫院，幫忙整理一些帳目。我會加發給妳一點工作津貼。

秋：（泣）謝謝院長，謝謝院長。

（音樂）

（早晨清靜的鳥鳴）

（簡、長慢跑的腳步聲，由遠而近，最後停步）

簡：（微微喘著氣）我們休息一下……院長，助聽器試用的效果怎樣？

長：（微喘氣）很好！

簡：那你是決定買下了。

長：嗯，這個助聽器，讓我聽到了即使耳朵正常，也無法聽到的眞實話。

簡：有這麼靈，……那你們醫院的人，都爲你感到萬分高興囉！

長：不！他們都不知道……我希望這件事，你也不要張揚出去，好嗎？

簡：爲什麼？

長：他們知道的話，這個助聽器就不靈了。

簡：怎麼會？廠商有五年品質保證，不會那麼快就壞的。

長：廠商能保證他們知道我的聽力正常，而我還能夠聽到眞實的話嗎？

簡：（一笑）呵呵呵，當然不可能。

長：是啊，恐怕世界上沒有人能做這種保證。哈哈哈——

（全劇終）

守住田園守住家

守住田園守住家

（本劇曾獲青溪文藝七十七年度廣播劇本銀環獎）

柯玉雪編劇

人物：

柯精：七十歲，鄉下老農夫，村長。（精）
柯大發：四十餘歲，精之長子，勤勉。（發）
林春妹：三十七歲，大發之妻，賢淑。（妹）
柯大財：二十餘歲，精之次子，好高騖遠。（財）
李麗珠：二十出頭，財之妻，愛慕虛榮。（珠）
阿旺嬸：五十餘歲典型村婦。（嬸）
趙高：大財的同學。（高）

（音樂）

（劇名，演職員姓名報幕）

精：我說不行！……阿財，你還是趁早打消「分家」的念頭。……

財：爸爸，您不知道，要是我一直窩在義竹鄉種田，永遠也沒辦法賺大錢。……只有到台北去闖天下，才能賺大錢，發大財，我……

精：你怎麼樣？我看，你八成是讀書讀昏了頭。你唸五專的註冊費，還不是我種田種來的。你知道我流了多少血汗，才把這些田一塊一塊買下來。靠這些田地把你們兄弟養大，……（感傷地）現在，你畢業不到三年就吵著要分家，擺著現成的田地不種，硬要去台北闖什麼天下。爲什麼不向你的哥哥阿發學一學？勤奮做事，本份做人，不要老想要分家，搬出去住。

財：爸，種田並不是不好，只是賺錢賺得太慢，也太辛苦了。……我聽說，台北遍地是黃金。祇要有資本，不怕沒有錢賺！到時候鈔票大把大把的飛到我手上，您根本不用再那麼辛苦地種田了。我會讓您住最大的房子，吃的，穿的，用的都是最好的。……每天有佣人侍候著不說，還可以出國去旅行，享受豪華舒適的生活……

精：好了……不要再說了，享受、過豪華的生活，只有使人墮落，懶散，……你說得再好聽，我也不會答應你分家的。……現在，我要去主持村民大會，沒有時間聽你瞎說了！哼！

（離去的腳步聲）

財：爸爸，爸爸，你別走呀……爸爸……

發：阿財，別叫了，爸爸已經走遠了。

財：唉！眞是的，爸爸怎麼這麼固執呢？大哥您幫我向爸爸說一說，好嗎？

發：這個……

財：怎麼？……難道你也不贊成分家？

發：不是這樣的。……你要分家，我並不反對，只是……

財：（急問）只是什麼？

發：只是，爸爸年紀已經這麼大了，媽媽又去世了。……如果我們只顧自己，到外面闖天下。留下他一個人，誰來照顧他？……我們應該多替爸爸想一想。不能一心就想賺大錢呀！

財：話這樣講是沒錯，……但，我如果賺了大錢，可讓他老人家享福，接他去住大都市，過豪華的生活，不用再節儉過日。……這比他住在這鄉下地方，要强多了吧！

發：阿財，你有這份孝心，爸爸知道的話一定會很高興。……不過，你可能不太了解，他老人家心理。這一片田地，這個家園都是他流血流汗建立起來的。……祖父傳給他的只是一小塊田，完全靠爸爸的勤儉工作、才有今天的規模。在他的眼裏，這些田地已經不只是生產賺錢的工具了！更是他的命。……一分家，他的家園就分散了，而你又離開他，他當然不願意囉！

財：可是，……我有我的理想，有我想做的事，……難道就放棄不做嗎？……眼睜睜地看著同學們出去做生意，一個比一個風光，而我還在這兒種田，唉，眞是……

發：眞是沒出息，是不是？

財：嗯……

發：好吧！如果你眞的這樣想，我就幫你向爸爸說說看，……但是，你要答應我，……不要急，讓我慢慢地跟他說，免得惹他老人家生氣。

財：謝謝大哥！我暫時不提分家就是了！

（音樂）

高：阿財嫂您在忙呀！

珠：是啊！我大嫂沒事的時候，就拿工廠的塑膠花回來加工，害得我也不能閒著，眞是……趙先生，您是來找阿財的吧！……先請坐一下我叫阿財出來！（大叫）阿財！阿財、有人找你！快出來呀！……

財：趙高，是你呀，我以爲是誰呢？……眞高興看到你。

高：來，抽根香煙，休息一下，再說。

財：謝謝！

高：又要揷秧了吧！

財：對呀！我剛剛還在保養那架去年買的揷秧機。……你不是在台北做生意嗎？怎麼有時間到鄉下來看我？……

高：其實，不瞞你說，這次我到你們村子來，最主要是爲我姑媽的事來的……順便過來看看你這個老同學。

財：哦！是住在我家對街的秋子姑媽嗎？……

高：沒錯，我們小時候常一起去摘她家的芒果，你記不記得？

財：當然記得！……但我沒有聽說她有什麼事發生呀！

高：呵呵呵（笑）這件事別人怎麼會知道呢？……

財：那只有她自己知道囉！……到底是什麼事？

高：是這樣的，她有一些私房錢，托我拿去證券投資公司買股票，我今天是特地來拿錢的。

財：秋子姑媽平時省吃儉用的，她怎麼肯把錢放在你那兒，讓你替她做生意？

高：嗯，你說得對，她本來並不相信做股票能賺大錢，而不放心把錢交給我！……後來看到別人把錢放在我這兒，分了很多紅利，才肯信賴我。

財：這麼說，做股票眞的會賺大錢，發大財囉！

高：那當然了！

財：不過，我聽說，……有些人做股票，最後賠得精光，還欠人一屁股債，這難道是假的嗎？

高：這也不假，……那是他們不懂方法，才會這樣，……我趙高沒有什麼本領，就是有一套「穩賺不賠」的辦法，叫財源滾滾而來，一天淨賺萬把塊都沒問題。

財：眞有這種方法，你願意教我嗎？

高：阿財，看在老同學的份上，如果你眞有興趣，我可以教你……不過……不過……

財：不過什麼？

高：那得先有本錢才行！

財：要多少本錢才夠？

高：這個……嗯……起先啊，你要每星期在固定的時間，買下固定幾家行情較穩定的股票，不管當天那種股票是跌還是漲，一到預定的時間一定要買，過一段間，看漲差不多時再賣，千萬不能貪心……這樣依計劃買賣，必定可以賺到錢……但是有一些資金就被壓在那兒當本錢，……其中還有許多竅門……

財：啊呀！老兄，你講了半天，還沒有說出到底要多少本錢才夠！

高：那自然是愈多愈好……幾十萬總是要的……其實也不一定要多少，投資的錢多，賺的也多，錢少的話，賺的也少，就這樣。

財：這樣說起來，做股票賺錢比種田快囉？

高：豈止快而已！可能要快上幾百倍哩！好了，我留一張名片給你，上面有我的電話，地址，……你有興趣做股票的話，到台北來找我，我要回去了。

財：謝謝你，……（自言自語）啊，我柯大財就要發大財了，我一定要想辦法，弄到本錢去買股票，……對了，分家，祇要一分家，我就有一筆錢了……

（音樂）

精：你們兄弟兩個都給我聽清楚……既然你們希望分家，我就給你們分一分，免得有人常常拿這件事來煩我。……唉……我也老了，今後你們大大小小的事，由你們自己去決定，我不去管你們，你們也不必來告訴我，反正我老了，沒有什麼用……

發：爸！您千萬別這麼說！我們永遠都會尊重你，有什麼事，一定先向您報告。

財：是呀！爸爸，您永遠是我們的大家長，我和哥哥都會孝敬您的。

精：分家之前有幾點我要先聲明，……你們最好依照我所說的做，如果有什麼不滿意，也可以提出來說，免得有人在背後說我不公平！

發：爸，您說好了，我們會照著您的意思做。

財：是的，爸爸。

精：好。首先，我要從田地中，選一塊最好的土地，做爲「大孫田」，等我死了，留給我的長孫，……嗯，就選「紅橋頭」那邊的水田，你們覺得怎樣？

發：我沒意見！

財：也好。

精：嗯，我還要拿出一塊旱田，替我自己留做棺材本……現在我老了，你們兄弟每人每個月要給我五千元生活費，如果生病，醫藥費另外也由你們兩個分擔。……至於房子……要搬出去的人，就等於棄權，……誰住在我身邊，我死了房子就給誰，……細節部份你們兄弟自己協調好，再找個中人做公證，就可以了。……我這樣分配你們有沒有意見？

發：我沒有意見！

（有人開門聲）

珠：爸！我不同意！

財：阿珠，妳怎麼會在這兒！

精：這裏沒有女人的事！

珠：爸！你偏心，……剛剛你們說的話，我在門外全聽見了，明知道阿財要外出做生意，故意不分房子給他，好的田都分給大哥！……處處護著大哥！（激動的），你偏心，你偏心！……

財：麗珠，你怎麼可這樣說爸爸？少說兩句！（壓低聲音）由我來說。

精：手心手背都是肉！我那裏有偏心的道理！

財：爸，我知道您一向很公平，但我覺得房子也應該有我一份。……如果要全部給大哥，那麼我願意退出，不過大哥應該拿一點錢來買我這一份權利才算公平……反正我要做生意，資金還不太夠！

精：這……

發：爸爸，沒有關係，多分給阿財一點錢好了。

珠：這還差不多。

（音樂）

（田裏灌溉的流水聲，挖水道的聲效）

嬸：春妹啊！這麼晚了還不回家休息呀？

妹：阿旺嬸，我這邊稻田的水，還沒有灌滿，怎麼能回去？

嬸：就妳一個人在這修水路啊！阿發怎麼不來幫忙？

妹：他剛剛才回去，到義竹國中上補校去了！

嬸：啊！對對對對，我怎麼忘了，阿發在唸夜間部補習學校。……這麼晚了，你一個人在這兒會不會害怕？

妹：習慣了就好。……幸好還有一年，阿發就畢業了……他一畢業，我就輕鬆一點。……阿發說，國中補校學費完全由政府來繳，我們不用花一個錢吔！……所以叫我也去讀。

嬸：政府對我們眞好！要不是我老了……

妹：老了去讀的人才多呢！聽說有的當爺爺奶奶的人，都還去讀喲！

嬸：對了！阿發他們兄弟，分家也已經一年多了，聽說阿財到台北去賺了好多錢，是眞的嗎？

妹：嗯，沒錯！弟妹每次回來都送東西給我，衣料，化裝品，首飾啦，都是高級貨，我平常才捨不得買呢！

嬸：村長可眞有福氣，大兒子孝順，小兒子發財，我們村子裏沒有人比他更享福了。……我該回家了，春妹再見！

妹：阿旺嬸，再見。

（音樂）

（街頭的吵雜聲）

財：太太，……我們已經逛了一個下午了，再走下去我的腳都要起泡了。

珠：眞沒用，我還有好多東西沒有買呢！

財：法國香水買了，日本絲巾也買了，西德的保養霜，瑞士的金錶……這麼多東西都買好了，還要逛啊！

珠：當然囉！阿財，你忘了這個星期，我還沒買衣服呢！昨天我在電影院裏看到一個小姐穿一套外出服，好時髦哦，我也要去買一件，順便配一雙新鞋，新耳環和新項鍊呀！

財：好吧，好吧，隨便妳……先找個地方休息一下，總可以吧……前面有一家電動遊樂場，我們去玩玩。

珠：也好！

（腳步聲）

（遊樂場吵鬧聲）

財：喏！這瓶汽水給妳，在這兒等我……我打完彈珠再回來。
珠：快一點，我還要買衣服，逛街呢！
（打彈珠的音效）
高：嘿！阿財……眞的是他。
財：哦！趙高，你也在這兒。……好久不見！
高：是好久不見了……現在股票做的怎麼樣？
財：托您的福，賺了不少錢！
高：那要請客，好好慶祝一下。
財：沒問題，找一個時間，我們到「不夜城」卡拉ＯＫ，喝一個痛快。怎麼樣？
高：好！就這麼辦，今天你我都有空，咱們彈珠也別打了，喝酒，唱歌，找樂子去吧！
財：對，喝完酒再去舞廳跳舞，一切費用算我的。……等於是我報答你以前教我做股票的恩情。
高：那我們現在就走吧！
財：（忽然想起）啊！不行，今天我帶太太出來逛街買衣服，她還在那邊等我呀！
高：耶？阿財，剛說好了，馬上黃牛啦！……我根本沒有看到你太太，別騙人了！
財：你看，坐在那邊喝汽水，穿淡紫色小翠花洋裝的，就是她……看到沒有？
高：不像呀！……我記得你太太的眼睛沒有這麼大，鼻子也沒有那麼挺……還有……

財：皮膚也沒那麼白，是不是？

高：是啊！

財：告訴你，她是去整形外科動過手術，全身美容，所以看起來當然不一樣囉！

高：那得花很多錢吧！

財：是用掉我很多錢，……她整天在那裏吵，我都快給她煩死了，只好隨她去……

高：看樣子你們小倆口今天眞的是出來逛街的，……那酒是喝不成了。

財：這樣好了，……改在下星期三晚上怎麼樣。……有沒有空？

高：可以啊！……祇是爲什麼要選在星期三呢？……以前我找你去喝酒，你也都選在星期三，是不是星期三比較吉利？

財：（一笑）嘻！每星期三，我太太都和她的牌友打麻將，很晚才回來。……有時候天亮了還不見人影，我就樂得過一天好日子。

高：嗄！原來是麼回事，……那我們就決定在下星期三碰面好了。

財：記住，下星期三下午六點半，「不夜城」卡拉ＯＫＢ座。不見不散。

高：一言爲定。

（音樂）

（學校下課的鈴聲，學生讀書嬉笑聲）

發：阿財！我才上完一節課，……你找我有什麼事，就不能等放學了回家再說？……

財：大哥，我等一下要搭九點半的火車趕回台北，等你上完四堂課都快十點了，怎麼來得及？

發：到底什麼事？

財：我是想，是想……

發：想怎麼樣，快說呀！

財：想把爸爸分給我的田地賣掉。

發：嗄？你有沒有告訴爸爸？

財：我要告訴他，他一定會生氣，不准我賣的，……所以我考慮了很久，才來找你商量商量。

發：幸好沒有告訴他，……最近爸的身體不太好，醫生說他心臟不好，還有高血壓，不能受刺激，更不能動氣，否則，病發起來，就不好了。

財：大哥我知道，……就因爲這樣，我才來找你商量，希望你能買下我過橋那邊的水田和東後寮那塊旱田，我想賣給你總比賣給外人好。你覺得怎樣？

發：這……阿財，我覺得不要賣比較好。

財：反正我又不打算回來種田了，乾脆賣給你，……我們是兄弟，在價錢方面我不會計較的。

發：我實在想不透，你做股票不是賺很多錢嘛！……既然不缺錢用，何苦把爸爸辛辛苦苦買下來的田地賣掉，……莫非你生意做垮了，欠人家債務，才逼得不得不賣田。

財：現在股票漲得厲害，……如果手邊的資金愈多，所賺的錢也愈多。這比那幾塊田租給人家收租金要强幾百幾千倍呢！

發：我阿發沒有做過股票，也不懂股票怎麼做法，……只是直覺地以爲，賣田地總不太好。……你還是不要把田賣了，有一天，你再回來家鄉種田，也不一定呀，……到時候你，我，還有爸爸，我們一家人又可以住在一起，像以前那樣。這眞是太好了。

財：那除非我破產，……再說，我願意回來，你弟妹麗珠也不肯呀！……我想，還是把田地賣了比較對我有幫助。

發：看樣子你是眞的決心要賣地囉。

財：是的。

發：我站在一個做大哥的立場上，還是希望你不要賣……要是你堅持要賣，我也沒有權利阻止你。……畢竟你已經長大了，不再是以前我眼中的「小」弟了。

財：那你願意買了？

發：如果我現在手頭上有錢，一定買。……只是，上個月我才買了一塊沙田，種了西瓜也還沒收成，恐怕拿不出那麼多錢來。

財：那我只好好賣給我同學趙高的姑媽了。……她有意思要買。已經問我好幾次，我都推說不賣。

發：就是那個秋子姑媽是不是？……阿財，大哥有了錢，一定再把你的田買回來。這件事暫時不要讓爸爸知道。（上課鐘響）

財：大哥，我會的，再見。

（音樂）

精：（咳嗽聲）……春妹，……（再咳）春妹，妳出來一下，我有話問你。（再咳）……你……

妹：啊，爸爸你先不要急著說話……坐下來休息一下，再慢慢說，我去給你倒杯茶。

精：（咳嗽）……

（杯子放在桌上的音效）

妹：爸爸，您喝茶。

精：春妹，我問你一件事，妳要老實告訴我。

妹：什麼事，這麼嚴重啊！

精：剛剛我去雜貨店坐坐聊天，聽到秋子跟阿旺嫂說，我們家阿財已經把田地賣給她了，怎麼這件事我一點也不知道。

妹：這……這個！爸爸你會不會是聽錯了。

精：不會錯，秋子是這樣說的沒錯。

妹：爸爸，那一定是秋子說錯了。……她買的是村北那個阿彩的田，是彩色的彩，不是弟弟這個發財的財。……一定是您誤會了。

精：眞的這樣嗎？

妹：不信等阿發回來，問他好了。

精：嗯，……（突然想起）不對啊！……

妹：（一驚）有什麼不對？

精：秋子說：她買的田在過橋那邊，和東後寮。這明明是阿財從我手上分去的田。

妹：爸爸，……您不知道，村北那個阿彩，在過橋那邊，和東後寮也都有田地呀，這沒有什麼不對的。

精：就算那個阿彩在那兩個地方都有田地，怎麼會那麼巧，賣給秋子的田，也跟我們阿財的一樣，過橋那邊的是水田而在東後寮的是旱田呢？

妹：這，……我想……對了，過橋那邊的田是水田多，而在東後寮的田地是旱田多，所以……所以……

精：（咳）……春妹，妳不用再替阿財騙我了。……我知道，我人老了，沒有什麼用，……你們背著我做事，也習慣了，我……（再咳嗽）……

妹：爸爸，不要這麼說，我們怎麼會騙您呢？

精：（生氣的）事情都很清楚讓我聽見了，還想瞞我，……妳想要氣死我是不是？（喘著氣）……

妹：（懇求地）爸爸，我不敢……，您不要生氣……是阿發不准我說的，沒想到您自己先知道了。……我們絕不是故意要瞞著你。

精：唉！阿財實在太令我失望了。……阿發也眞是的，怎麼不阻止他……（咳嗽）春妹，我的頭有點暈……

妹：爸，您先在這張沙發躺一下，大概是剛剛稍微激動了點，一生氣，血壓就高起來，我馬上去幫您拿藥來。

精：（咳嗽）……

（音樂過場）

（一群鴨子的叫聲）

嬸：別搶著吃，把飼料都弄翻了。……

妹：阿旺嬸，您在餵鴨子呀！

嬸：是啊！……春妹，妳要去上課了，還很早嘛！

妹：今天要期末考，我要早一點去學校溫習，免得到時候客運車脫班，遲到了不好。……

嬸：日子過得眞快，妳已經二年級了吧！

妹：不對，是三年級了。

嬸：我記性眞差。……你們家阿發做人眞好，爲了供他弟弟阿財讀五專，自己寧願犧牲幫忙種田。……等阿財畢業才去讀補校，他自己畢了業，還讓你也去讀，眞是對妳太好了。只是，妳一方面白天要到田裏工作，又要煮飯給孩子們吃，會不會太累？

妹：現在種田的人比以前舒服多了，一切都有機器代替人來做，不會太累的。再說我那三個小孩也都大了，當兵的當兵，唸書的唸書，我反而閒著了。……要不是阿發當了農會農業改良小組的組長，常辦一些活動，叫我幫忙，恐怕我日子就太無聊了。

嬸：阿發辦的活動很有趣，什麼聯歡會啦，慶生同樂會啦……我都很喜歡參加。

妹：耶？阿旺嬸你們家的雞怎麼都不見了，是不是賣掉了？就剩下鴨子。我現在才注意到。

嬸：說起那些雞我就害怕。

妹：哦？怎樣了！

嬸：那些雞如果不死，恐伯死的就是我和我孫子哩。

妹：有這麼嚴重！到底是怎麼回事？雞一下都死光啦！會不會是得了雞瘟。

嬸：不是的，如果是瘟病，那鴨子怎麼不死？雞舍跟鴨舍中間只圍了一面鐵絲網。……其實，這些雞是被人害死的。

妹：（一笑）我長麼大，還沒有聽說過有人會把雞害死，……如果是眞的，他害死了雞做什麼？……阿旺嬸，您別跟我開玩笑了！

嬸：我絕不是開玩笑，大前天，我一個人拿著飯包要去田裏給阿旺吃，在路上碰到一個陌生人，年紀跟阿財差不多，他說，他是我們政府衛生局派來農村做什麼「視察」的人，問了我很多話，說是要寫什麼報告。……最後還給我一包黑藥丸，說是要答謝我接受他的訪問，特別送給我的補品，小孩子吃了會長得好，叫我拿給孫子吃，或送人也可以。

妹：那很好啊！

嬸：才不好咧！我養的這些雞本來是要給我女兒坐月子吃的，我想我女兒就快生了，這些雞要加肥才行，便自做主張把那黑藥丸，塞進雞肚子裏，每一隻塞一粒希望能趕快讓雞長肥一點，沒想到，一下子昨天全死了。

妹：好可怕啊！阿旺嬸，我們學校的老師說，野心陰謀份子常常會到各地方製造事端，破壞政府在人民心目中的形象，……這次幸好死的是雞不是人，您別難過。

嬸：阿旺已經準備在今晚村民大會中，向大家報告這件事，希望有人去告訴鄉長，不要有其他的人受害。

妹：我該去學校了，明天我就叫阿發打電話，到鄉公所向鄉長報告這件事，再見。

（音樂）

（收音機報告股票行情的的節目）

珠：（關掉收音機聲音）別聽了，再聽還不是跌，阿財我有話跟你說。

財：有什麼話等播完再說（又打開收音機聲）……

珠：（關掉收音機聲音）不行，我要現在說。

財：妳這人講不講理？（打開收音機聲）……
珠：（把收音機摔在地上聲）我看你還聽不聽？
財：（生氣地）麗珠，你瘋了嗎！
珠：我沒有瘋，你自己才瘋了。一天到晚股票股票，連做夢都在叫股票，我受不了啊！
財：不做股票，靠什麼吃飯？嗄！眞是的。
珠：我看你股票再做下去，才眞的會沒飯吃！
財：妳！……
珠：我說的沒錯吧！今天賺三千，說不定明天就賠五萬。爲了做股票，你到處向人借錢，害得我也爲你向娘家借錢，現在回去連我爸爸都不肯再借錢給我了。……今天，一定要跟你把話說清楚。我不想再過這種苦日子了……你知道我已經多久沒有去做頭髮，買新衣服了嗎？……
（開門聲）
珠：我在跟你說話，你要去那裏？……
財：我的心情不好，沒有興趣和你扯，要出去走走，透透悶氣！
（門用力關上聲）
珠：你以爲出去就沒事了？
財：至少不用跟你吵架。

珠：我那裏是要跟你吵架，只是要提醒你，大兒子明天要交補習費，小的要繳伙食費，你不要忘了。

財：我會想辦法。

珠：還有水費，電費，瓦斯費，都還沒有繳，有的已經超過兩個月，再不去繳，就要被停掉。

財：我說過，我會想辦法。

珠：想辦法……你那一天不是在想辦法，到現在連一點辦法都沒有……

財：我已經盡量在想辦法了，妳還要怎麼樣？

珠：要怎麼樣還用問我嗎？……這年頭沒有錢就沒辦法，拿錢來，一切好解決。

財：我現在身上沒錢，過幾天再說。

珠：沒有錢就不用負責任了嗎？……我的命眞苦，嫁給你這個窮光蛋，過這種苦日子。眞是……

（門被重重的打開聲）（腳步聲）

珠：阿財，阿財（叫喚）你出去，你出去好了，沒有弄到錢，就不要回來……

（音樂）

（卡拉OK店裏有人在唱台語歌及喧鬧聲）

高：阿財，你今天請我來卡拉OK喝酒唱歌（打酒嗝）找樂子，眞謝謝你，……是不是做股票賺了？（打酒嗝）……特別來慶祝慶祝！

財：趙高，我們都是老同學了，不瞞你說，我這陣子運氣眞壞，我買的股票行情猛跌，不買的反而不跌，眞是，好像故意要和我做對一樣，賠了不少錢。

高：嗯，那可能是有人在搗亂市場。

財：這兩天股票又開始漲了，所以，所以，你能不能再借我五十萬？

高：嗄！阿財，你上次借的四十萬，還有以前向我調的錢，也都還沒還淸，你忘了嗎？

財：我怎麼會忘？

高：哦：那你以爲我趙高是開銀行的，還是印鈔票的啊……我就是想借你也拿不出來，何況，現在自已在做進出口生意，資金還嫌少，準備找人去調頭寸呢！

財：我們認識這麼久了，誰不知道這區區幾十萬塊錢，在您趙大老闆眼裏，根本只是小數目而已，不算什麼，不算什麼呀！您別跟我說笑了。如果連你也要找人借錢那我只好到路邊要飯去囉。

高：你這張嘴就是會說話，被你這麼一說，我不借你錢，好像說不過去了。

財：還請您高抬貴手，行個方便。

高：如果我借給你錢，你還是要拿去做股票嗎？

財：我想不出其他我能做的事。

高：其實，這陣子做股票風險太大了，我兩年前賠了一大筆，又聽人說，有人故意在搗亂，把股票行情炒高，讓大家拚命買，等大家的資金套牢了，他就一走了之，所以就改做進出口貿易。

財：這麼說，現在股票不能再做囉！

高：嗯！再做還是賠。

財：喔！我明白了，怪不得，我老覺得一直在賠錢，……本錢賠進去不說，還欠一屁股債，……唉，現在才知道股票不好做，可是已經晚了。

高：你眞的欠了好多債啊！……大概有多少？

財：向您借的不算，前前後後，少說也有參佰萬。

高：你打算怎麼辦？

財：我也不知道……再過幾天，如果我拿不出錢，債主就會找上門來要債，我只有等著坐牢了。

高：嗯……阿財，如果有一個機會給你，讓你不必去坐牢，又可以馬上賺很多錢，你願不願意試一試？

財：眞有這麼好的事，我當然願意。……就怕不是眞的。

高：你以爲我在騙你嗎？……你願意的話，我可以馬上帶你去見我們朱老大。他正需要人幫他做事！

財：那是做什麼性質的事，能不能先告訴我？

高：可以，不過你要先答應我幾件事。

財：好！什麼事我都答應。

高：我跟你說的話你都要守口如瓶，一句也不能傳揚出去，你做得到嗎？

財：做得到。

高：等一下，我開車送你去朱老大那兒，要把眼睛蒙起來。回來時也要把眼睛蒙住。

財：一切聽你的就是。

（音樂）

高：這一次行動，對我們組織很重要，朱老大對這次行動也很重視。阿財你要好好地幹。……前幾次行動你表現得很好，這一次更不能掉以輕心。

財：趙高，你放心好啦！

高：因爲你加入我們組織的時間不久，明天，就要讓你擔當重要任務，所以我今晚特別要提醒你，一些要特別注意的事。

財：這我知道。第一，要保密，絕不洩露機要行動指示。第二，要服從指示。第三，不過問組織的行動目的，和老大的行縱。

高：嗯，就是這些了，想不到，你全記住了。很好，很好，明天辦完事後，在老地方領錢。

財：這次我能領到多少錢？

高：那要看你的表現，和老大的意思囉！

（音樂劃過）

（眾人遊行吵鬧，打架聲）

財：（打鬥聲襯底）我們要絕對的民主，絕對的自由，請給我們民主自由。

警察：（用擴音器說，吵鬧聲襯底）不要再遊行了，大家請快解散，請解散啊！不要再打架了。

財：打、打、打！打警察，警察妨礙我們人民的民主自由，打呀！打！（打鬥聲依舊）

高：走啊！阿財，有警察受傷了，再不走就來不及了。……你看，那邊來了一大批支援的警察……

（警哨聲起，喧鬧聲，擲石塊聲亂成一團）

（音樂）

嬸：不好了，不好了，村長，不好了！

妹：噓！我爸爸剛睡著，別大聲嚷嚷。什麼事不好了，阿旺嬸？

嬸：春妹，原來妳還不知道啊？……我兒子今天放假回來，他在火車上看到報上登的一則消息，說你們阿財，被抓起來關進牢裏去了。

妹：這怎麼可能。（打開報紙的聲音）

嬸：我本來也不相信，又看不懂字，還在想是不是眞的。看照片才知道就是阿財，沒錯。

我兒子說，他會被依妨礙治安、擾亂民心，製造紛亂的罪被提起公訴的。旁邊還有一個人，就是我以前我告訴你，假裝政府衛生局的人，拿毒藥當補品，叫我給小孩吃的那個年輕人。

妹：眞是阿財，那怎麼辦？（大叫）阿發、阿發快出來，阿財被抓起來關在牢裏，你看報紙上有他的照片。

發：什麼，阿財被關在牢裏了？

（腳步聲，快速地）

精：（咳嗽）我看看、我看看、……（咳嗽）……阿財你眞的被抓去關起來了，（軟弱而無力的喘氣……）

發：爸爸，爸爸。

妹：爸。

嬸：村長發病暈倒了，快去叫救護車。快呀，阿發。

發：（跑步聲）我就去。

妹：爸爸振作一點……

嬸：春妹，你趕快去拿一張被子給你爸爸蓋上。

精：阿財，阿財（喘氣快速而虛弱）阿財……

（救護車聲音樂劃過）

（倒水聲）

妹：爸爸，您吃藥。

精：讓我回家，我不要吃藥，……春妹，叫車送我回家，聽到沒有？

妹：爸爸，您病還沒好，怎麼回家？把藥吃了好嗎？

精：不吃，我不吃……已經住院兩個禮拜了，天天打針吃藥，我受不了。

妹：打針吃藥病才會好呀！

精：我自己的病我自己知道，……這病是好不了的，吃藥也沒有用。

妹：不會的，醫生說，您祇要照著他的藥方，按時吃藥，病很快就會好的。

精：春妹，妳不用安慰我了。我不久就要去和妳死去的婆婆見面了，妳看，她在向我招手呢！

妹：爸爸，別說了，快把藥吃了吧！……等一會兒，阿發來了，看您還沒有吃藥，就要罵我，……怪我沒有好好侍候您。

精：有我在，阿發不敢罵妳的！……春妹，你是我的好媳婦……不像麗珠，我住在醫院，她連看都不來看我。

妹：也許弟妹這幾天比較忙，……說不定過兩天，她就會來看您了。……您還是安心養病，不要胡思亂想了。我和阿發都會好好服侍您的。

（開門，腳步聲）

精：阿發，你來了！

發：爸爸，您好一點了吧！

精：還是老樣子。

發：春妹，爸爸吃過藥沒有？

妹：還沒！

發：現在都幾點了，妳還不給爸爸吃藥，……妳怎麼這樣漫不經心……我是怎麼交代妳的！……無論如何要讓爸爸按時吃藥，妳難道忘了？

妹：我，我……

精：阿發，是我自己不想吃的，你別罵她了。

發：爸，你自己怎麼會不想吃藥呢！……一定是春妹沒有好好服侍您，您還不願意告訴我。……爸，現在我拿藥給您吃，您不要跟春妹嘔氣，趕快把藥吃了吧！

精：好，好！我吃，我吃，我自己吃！

（喝開水時打破杯子聲）

精：啊呀，我的手抖得兇，連杯子都拿不住了！

發：春妹，以後爸爸喝開水，妳要幫他握著杯子，聽到沒有？

妹：我知道了，你放心，我會的。

精：你們對我這麼孝順，我很高興。……阿財他……

發：爸，你放心，阿財他很快就會被放出來的，您不用爲他擔心，不然我會想辦法去保他出來。說不定，過幾天他就能出來看您了，……您要把身體養好才是！

妹：是啊！弟弟他只是被人利用的從犯而已，判不到什麼罪的，等這件案子審查完畢，馬上就會被放出來。

精：我知道，你們都是在安慰我的，只是！……我怕，我的病拖不了多久了，我很希望在死以前，能再見阿財一面，……阿發，你現在叫車送我去牢裏看阿財好嗎？我有很多話要當面跟他說，……要是見不到他，我就是死了，也會死不瞑目的。

發：爸！（傷心而說不出話來）你不會死！……

精：阿發，快去呀，還站在那兒幹什麼？快去叫車啊，趁我還有口氣在！（咳嗽）……

妹：（忍住小聲地抽泣）……爸！大夫交待你最好少走動！

發：（小聲說）春妹，不要讓爸爸看到妳哭！

精：春妹，阿發不送我去，妳送我去看阿財好嗎？我要告訴他，做人不要一心只想著賺大錢，……我寧可希望他在我的身邊，我們一家人住在一起，一塊去田裏工作，一塊吃飯……而不要他去拚命賺錢，給我吃好的穿好的有什麼用……像阿發這樣，守在我身邊，守住我們的田地，守住這片家園，我就心滿意足了。（咳嗽）……

妹：（哭泣比前大聲）爸……阿財，今後會改過的！……

精：春妹，阿發，快去叫車……我要去牢裏看阿財，快送我去，還楞在那兒做—什—麼—

……（喘氣）！

發：春妹，妳快去請大夫來！爸的臉色都變了！……

妹：好！（跑步出門聲）

精：（喘不過氣聲低啞說）阿發，我心跳得好厲害，快送我回家去，……我怕快不行了，叫阿財也回來，……我們都回—家去！（氣喘聲）阿……

發：爸爸，您身體不好，先不要說話……大夫馬上就來，等你病好，我們馬上回家！爸……

……

精：回來吧！阿財，回—來—守住田地，家園，比什麼都重要！（氣絕）

發：（痛心大叫）爸！……（哭仕聲）

（音樂）

財：大哥，謝謝你，來看我！

發：阿財，你在裏面好不好？

財：我很後悔，沒有聽你和爸爸的話……現在被關在牢裏，還不知道會被判幾年，也不知道什麼時候才能回家看爸爸！對了，上次我拜托你的事怎麼樣了？

發：我去你台北住的地方，找麗珠和孩子，結果，房子被法院查封了，門窗全鎖緊，我按了門鈴，等半天也沒有人來開。只好去弟妹娘家找看看。

財：兩個孩子在那兒是不是？

發：嗯，親家母說，弟妹把孩子放下，人又回台北去了。……我就把孩子帶回家，照你的意思，讓他轉學到家鄉讀書，住在你從前住的房間。

財：謝謝你，大哥，在我服刑的這段時間，這兩個小孩要麻煩你照顧了。

發：嗯，等他們放假時，我就帶他們來看你，好不好？

財：不用了，我不要孩子們看到我這副狼狽的樣子。……其實，我很想看看他們。

發：麗珠，有沒有來看你？

財：別提了，這種楊花水性，愛慕虛榮的太太，不要也罷！

發：連一次都沒來看嗎？

財：我一出事，她就不見人影，早就不知跟那一個野男人跑了？眞是……算了，我們不要再談她了，說到她我就生氣。

發：好！我帶來你大嫂給你煮的雞湯，還有一些你愛吃東西，都包在一起，交給警察了，你拿了，雞湯就趁熱喝了。……你還需要一些什麼其他東西嗎？

財：大哥，你和大嫂對我太好了，所有的朋友，一知道我被關起來，都躲得遠遠的，只有您才是眞正在關心我，愛我。對了，爸爸的病好一點了沒有？

發：阿財，我今天來就是要告訴你，爸爸已經去世了。

（强烈音響升起）

財：啊！你說什麼？爸已經死了？……

發：爸爸，嚥到最後一口氣時，還在叫喚著你的名字，要你回來，要你守住田園守住家。

財：（大聲）爸爸，我對不起您，從小你就勸我要勤奮的做事，本份的做人，我不聽。想一步登天，發大財。過享受的生活，如今爲了貪圖一些小利，竟然做出觸犯國法的事來，我眞該死！希望你地下有知，能原諒我這個不孝的兒子！……

（激動的捶胸聲）

發：阿財，不要太自責了，你能醒悟過來就好了，不要忘了爸爸臨終的話？要守住田園，守住家！將來，出來後，重新做人。

（全劇終）

瞎了眼的人

瞎了眼的人

（本劇曾獲青溪文藝八十年度廣播劇本佳作獎）

柯玉雪編劇

時間：民國七十九年九月中旬

人物：

劉志成：男、某大學三年級學生，外省籍第二代。（成）

劉　父：六十多歲，某大學歷史系教授。（父）

劉　母：五十多歲，溫婉的家庭主婦。（母）

張愛華：女，大一學生，南部鄉下到城市求學的少女。（華）

邱嘉榮：男，大三學生，本省籍子弟。（榮）

譚莉莉：女，二十八、九歲。表面上是雜誌社主編，實際上，是恐怖集團派在台北，負責策動學運的異議份子。（莉）

張　母：女，五十歲，說一口台灣國語。（張母）

朱　標：三十歲左右，寄身於社運、工運、農運、學運的流氓。（標）

（音樂）

（劇名，演職員報幕）

（校園下課鐘聲）

（學生下課的嘈雜聲）

榮：愛華，等我一下！

華：什麼事呀？嘉榮，我正要去找譚莉莉學姊呢！

榮：妳最近常和她在一起？

華：對啊。（腳步聲）

榮：我勸妳離她遠一點。

華：爲什麼？

榮：我怕她把你帶壞。

華：她並不壞，聽她演講關於台灣的政治問題，講得頭頭是道，激動的時候，甚至哭了起來，是個難得的愛國青年。除非瞎了眼，才會以爲她是壞人。

榮：那是作戲，她找妳去，不會有什麼好事，妳才來不久，不了解她呀！

華：你對她有偏見。她眞的對我很好，幫我介紹家教的工作不說，上次我急性腸炎，半夜發病，還是她帶我去醫院打點滴，先幫我付醫藥費的！你才不了解她呢！不理你了。再見！……（腳步聲離去）

成：嗨！張愛華，你要去那裏？

華：最近國大代表要求擴充職權，延長任期，提高出席費的事，學姊找我們這些支持她的學弟學妹，一齊去遊行抗議呢！劉志成，你去不去？

成：愛華，邱嘉榮惹妳生氣啦！

華：不要談他了。如果我們也能像天安門的大學生一樣，絕食抗議，一定會引起人注意。

成：愛華，絕食，那可不是鬧著玩的，搞不好還會出人命哦，除非萬不得已，否則我絕不參加絕食。

華：哎呀！事情那會像你講的那麼嚴重，少大驚小怪的，不過是幾頓飯不吃而已。

成：說到吃飯我才想起來，我今天特別要我媽，做了她最拿手的牛肉餡餅，熬一鍋小米粥，還有軟兜帶粉！……有好多好吃的菜，請妳今天晚上到我家吃飯。

華：什麼叫軟兜帶粉？聽都沒聽過。

成：軟兜帶粉是我們北方菜，主要材料是用鱔魚，配上粉絲、肉絲、白韭菜熱炒。我媽的手藝，可不比那「天廚」的師傅差哦！妳一定會喜歡的。

華：聽你講得「津津有味」，我是很想嚐嚐你們北方菜，是什麼味道？……可是你爲什麼要請我客？

成：雖然我們不同年級，但都常常選修同樣的課，老是借妳的筆記去影印，算是謝謝妳嘛！……另外，妳一定也感覺出來，我很喜歡妳。所以……

華：等等，我媽警告過我，說我是家裏獨生女，不能跟外省人談戀愛。我倆只是對政治有共同的喜好。算是志同道合的朋友，不是那種「男女朋友」。你了解嗎？

成：我不了解，我完全不懂，爲什麼妳們家要這樣規定，外省人也是人。

華：因爲是獨生女嘛！我爸說，萬一戀愛談成了，結婚後，我跟那外省人到大陸去，那麼他們就看不到我了。所以……

成：拜托！我是住在台灣，又不是住在大陸。況且，眞的回大陸去住，現在交通那麼發達，飛機一下子就能把妳送到任何妳想去的地方。……哦，我明白了，是不是？邱嘉榮也在追妳？

華：你愈說愈離譜了，嘉榮只是我的同鄉，跟我們家住在同一個村子，彼此照應也是應該的。……走啦，一起去找學姊要緊，別再想這些無聊的問題了。

（音樂過場）

（敲門聲）

莉：請進。

成：學姊，您找我們？

莉：對，相信你們都看到新聞了。那批「老賊」要求提高出席費，敲榨人民的血汗錢不說，還想延長任期，眞是無恥到了極點。更令人不能忍受的是，國大那些自私自利的，所謂「代表」，打算要每年自行集會，行使兩權。像這種背離民意的機構，簡直就是太上立法院。我們身爲知識青年，承擔歷史的責任，能坐視這種不合理的事發生嗎？

華：當然不能。可是我們該怎麼做？

莉：抗議，到中正紀念堂去，絕食抗議。唯有用這種激烈的動作，說出我們要說的話，表現我們滿腔熱血的愛國情操，才不枉費我們讀那麼多書，才不愧對我們的列祖列宗，和所有台灣的人民。

成：聽說全國大專院校都聯線起來抗議。要求解散國民大會，提出民主改革時間表。叫「老賊下台」。

華：可是我們要上課呀！學姊您也要上班，編雜誌不是嗎？

莉：歷史在號召我們，國家大事重要，還是上課，上班重要？

成：當然是國家大事重要，國家的屈辱，就是國民的恥辱。雖然我們只是學生，也應該盡我們的一份力量，來保衛我們的國家，不能只是光會念書本上那些翻開書就查得到的知識，而不去參加實際的愛國行動。

莉：對，志成說的對極了。有很多事情，是要親身去體會，不是書本上唸得到的。

華：可是，我總覺得，學生不上課是不對的。

莉：當然，學生是應該認眞把書讀好，可是，當國家有難時，我們能不去救嗎？就好比一個人在一條船上讀書，船底破了洞，水已經進到船上。這個讀書人是該繼續讀書呢？還是暫時把書放下，先去補那個破洞要緊。

成：當然要先補破洞。所謂「國家興亡、匹夫有責」。愛華，學姊說得很有道理。聽她的不會錯，國難當頭，我們若不起身營救，任由那些不知廉恥的人來腐化敗亡，到時候連身家性命都保不住了。那裏還有一個好的環境，安心讀書呢？

莉：我已經連絡好，其他大學的愛國學生，及社團負責人，一起到中正紀念堂集合。說不定有些同學已經在那邊活動了，你們也趕快回去，整理一下各人要用的東西。多邀幾個同學，直接到中正紀念堂去集合。我把這些文件還有要用的標語、海報，整理一下，立即去與你們會合。

成：好。……愛華，本來說今天要請妳去我家吃飯的，結果……

華：算了，我也沒答應要去。

成：那就改天好了。

華：再說啦！反正以後有的是時間。

莉：你們還是趕緊回家，拿自己要用的西，別在那兒窮聊天。去晚了，說不定連站的位置都沒有了。

華：是，學姊。

（音樂）

成：愛華，我們走吧！

（敲門聲）

榮：誰呀！

華：是我，愛華。

（開門聲）

榮：請進。……耶？妳帶了這旅行袋要去那裏？（急）是不是家裏出事了，否則學校沒放假，妳幹什麼這麼急著回家。

華：邱嘉榮，我帶這包包不是要回家，是要到中正紀念堂，去參加愛國行動，靜坐抗議，盡國民的一份責任，去關心國家大事，要那些死皮賴臉的「萬年國代」知道，他們的「政治勒索」已經引起公憤。……你要不要跟我一起去？

榮：我？……等一下還有課要上，恐怕……

華：唉呀，你不會罷課呀，好多同學都已經在那兒了，譚莉莉學姊和劉志成，也都在那邊等我，你到底去不去？

榮：我……這個……讓我想想看……

華：膽小鬼，你怕什麼？罷課的人那麼多，學校不會處罰的。走啦！走啦！

榮：說眞的，實在不想去。愛華，我勸你最好也別去，回到教室去，把書讀好，才是最重要的。

華：好不容易才考進大學，當然要好好唸書。可是，學姐說了一個很好的比喻給我聽，我才決定參加這次愛國的抗議活動。

榮：譚莉莉啊？她怎麼說？

華：她說，如果一個讀書人，在一條船上讀書。突然船破了個洞，這個讀書人，當然應該先暫時放下書本，趕緊把那個破洞補好，才能安心讀書。劉志成也說「國家興亡，匹夫有責」，雖然，我們只是學生，但也不能眼睜睜看國家，被那些不知廉恥的人腐化敗亡。

榮：他們這些話都說得很對，可是政治多麼複雜呀，不是我們這些未踏入社會的大學生，所能完全瞭解的。像你這樣，才由鄉下上來台北不久，對很多事情的判斷力，還不夠成熟……

華：（微怒）呵，邱嘉榮，你看不起我！

榮：（急）不是，不是，妳不要誤會，愛華，妳千萬不要誤會。我一點也沒有看不起你的意思。

華：算了，算了，你不去，我自己去。

（腳步聲）

榮：等等，妳再聽我說幾句話，行不行？

華：快說。

榮：妳媽和妳爸就只有妳，這麼一個獨生女。每次我回鄉下碰到他們，他們總是交代我，要我好好照顧妳，不要讓別人欺負妳，現在妳要去參加抗議活動，萬一出了什麼事，叫我怎麼向他們交代？

華：我已經成年了，什麼事都看得很清楚。我爲我自己做的任何事負責，不用你瞎操心。

榮：愛華，妳還很單純，有些事妳眞的不明白。不要只一昧的聽譚莉莉，和劉志成的論調，尤其是劉志成，他根本就對妳有企圖。妳自己也知道，妳爸媽不會接受一個「外省仔」女婿的。

華：不要把話題扯遠了。劉志成既愛國又熱心，不像你，是個怕事的膽小鬼。……再見！

榮：愛華，不要走！

華：少嚕嗦！我要走了，不要拉我。

榮：既然妳堅持要去，我實在不放心……那麼，妳等我一下。

華：幹嘛？（不耐煩的聲音）。

榮：我收拾一下東西，跟妳一塊兒走。

華：（笑聲）你早說這句話，不就好了。

（音樂）

母：志成，你回來了？……女朋友呢？不是說好帶她回家吃飯的嗎？……你看，你要媽做牛肉餡餅、小米粥、還有軟兜帶粉，和……

成：媽—她不來，我也不吃了。

母：怎麼回事嗎？孩子。……本來說的好好的，現在又不來了。你們鬧僵了？

成：這……一句話說不清楚……總而言之，我們有更重要的事要去做。

母：不管什麼事，總也得吃飯呀！……來，快，去洗手洗臉，我去叫你父親下樓，我們一家人好好的吃頓飯。吃完飯，你要去那兒再去。哦？

成：媽，您聽我說。學校的愛國學生，已經組成愛國連線，相約到中正紀念堂去靜坐，抗議國大代表的種種惡行。有些同學準備絕食，我和愛華都準備參加，用絕食方式，表明我們的愛國心。

母：絕食，不就是要餓肚子嗎？……那怎麼成！我忙了一個上午，特別給你準備，你最愛吃的菜。現在卻又說要絕食不吃了，唉，（傷心地感嘆聲）

成：媽，對不起，您別難過。

母：志成，你是媽唯一的兒子，媽的心肝寶貝。你說，做媽的，怎麼能忍心看著你挨餓？況且，去參加抗議的人，又不是只有學生，萬一有壞人，趁機鬧事，危害到你的生命安全，你叫媽怎麼活下去？

成：就算眞有什麼危險，我還是必需去的。不過，媽，您放心，靜坐就是靜坐在那兒而已。媽，我去整理要帶去的東西，到了那裏，有很多愛國的同學，互相照顧，不會有事的。您和爸爸先吃飯，不要擔心我。

母：你眞的非去不可嗎？

成：是。我去房間整理一下東西。

（腳步聲）

母：這怎麼行呢？（急叫）孩子他爹，你快下樓呀！孩子他爹。不得了了。（歇斯底里地叫聲）

父：（急下樓腳步聲）發生什麼事了，啊？

母：不好了，不好了。（有點喘）

父：有話慢慢說，慢慢說哪！

母：志成，他……他……他要去參加絕食抗議的活動，絕食……絕食會要命的。

父：哦！妳先平靜下來，不要慌，事情沒有你想像的那麼嚴重。……這樣好了，妳先到房間躺一下，休息休息。等一下，我來跟他談，好嗎？

母：也好。……可是，一定要攔住他，別讓他去，我們就這麼一個兒子啊，萬一有個什麼差錯。……

父：不會的、不會的、妳放心，一切有我，妳進去吧！歇一會兒就沒事了。

母：好，……你一定要留住他哦！

父：我知道，我知道……唉——（嘆一口長氣，接腳步聲，推開門聲）

成：爸，我今天不能陪您跟媽吃飯。

父：嗯，東西都整理好了？

成：是的，……爸，我知道您一定會支持我的看法，對不對？

父：說說你的看法。

成：我們希望，藉著這次活動，表達我們對國事的關心，對現有體制的不滿。相信這次愛國的舉動，必然會引起社會大眾的注意。喚醒全國人民的愛國情操，大家來爲民主自由合理的社會，盡一份心力。

父：你有這一份愛國心，我很高興。可是志成，你有沒有想過。我們的政府，從大陸遷台四十年來，勵精圖治，積極從事經濟建設和社會建設，這些積極的正面貢獻。

成：這個……我不曾想過，也沒注意。

父：我舉出比較重要的，說出來你就能體會，政府爲我們做了些什麼。例如耕者有其田的土地改革，六期四年經建計畫，加速農村建設計畫，普及推廣各級教育，延長國民義務教育爲九年，還有……

成：爸，這些都是好久以前的歷史了。

父：歷史，難道已成爲歷史的成就，就一點也沒有價值了，不必心懷感激了嗎？

成：現在國民大會代表自我膨脹權利，引起全國譁然，我國憲政體制，瀕臨成敗絕續關頭，國難當頭，我們不該再沈默任由那些政客，把社會弄得秩序大亂。

父：我在大學教歷史，教這麼久，過的橋比你走的路多。那些去抗議的人群裏，一定有「野心陰謀」份子。外國人利用他們來破壞、打擊台灣，好坐收漁翁之利。。

成：爸，您看得太遠了。我們學生，只不過出自一份愛國心，來表達我們對國家大事的關心而已，怎麼可能跟野心陰謀份子扯上關係？

父：當然，那些陰謀份子不可能明目張膽的，讓你們知道他的身份和意圖，一但暴露了身份和意圖，就沒有那麼多學生，肯聽他們的了。

成：就算有人主張臺灣全面改變體制，那也只是他們的政治主張，跟我們學生的愛國運動，是兩碼子事啊！

父：這點你就有所不知了。臺灣地處東亞，經濟又繁榮，外國人，尤其是日本人，一心想統治臺灣。誘導青年學生搞學潮、挑撥工人搞罷工，造成混亂。使我們的社會出現暴力不安現象，他們好趁虛而入。

成：我不相信。

父：你還年輕，沒經過戰亂，也難怪會不信。其實這一套，就是先經由事件糾紛製造內部分裂，再與島上的地下工作人員裏應外合，整個占領。志成，你還是別去的好，社會、政治上的重大改革，都是一步步漸進的。總要給政府一些時間啊，對不？

成：爸，您說的都對，可是我還是覺得，我應該去參加這一次的愛國活動。

父：唉！你要去就去吧！總有一天，你會認清敵人的眞面目。最重要的要注意安全，不要太傷你媽的心。

成：爸，我知道，……那我走了，……（聲音稍大）媽！我走了，再見。（關門聲）

母：志成、志成……這孩子……（急）萬一出事怎麼辦？怎麼辦？

成：（來自門外遠處）不會啦！媽，您放心。

母：叫我放心，我怎麼放心得下，……老頭子，你說過要留住他，你答應過我的。

父：你不讓他去，他絕對不會死心的，所謂「知子莫若父」。妳也不要把這件事看得太嚴重，放輕鬆一點。

母：希望老天爺保佑，我們成兒，能平安無事才好。

（音樂）

莉：朱標，這些錢你先拿去，分給手下的兄弟，叫他們在學運現場……，來把你耳朵靠過來，我和你說……

（莉莉對朱標「如此如此，這般這般」的音效）

莉：知道了嗎？

標：知道是知道，可是這些錢太少了，還不夠他們喝酒、跳舞、找樂子呀，譚組長。

莉：這個你不用擔心，事成之後，組織會根據你們辦事的成效，撥下來更多的款子。像上次的「工運」，我組織的負責人，不是也給你一筆大數目嗎？

標：說到上次，有幾個弟兄被抓，要不我身手好，逃得快，說不定也被抓進拘留所了。

莉：不會的，只要你聽我的指揮，一定不會被抓的。就算萬一給抓起來，組織也會想辦法把你們弄出來的，絕對不會關太久的。況且，你又不是沒被關過，也沒什麼大不了的，對不對？

標：是啊！那妳怎麼不去讓他們闖闖看，看滋味怎麼樣？

莉：（不高興）你！哼，……

標：譚組長，妳也不用嘟著嘴不吭聲，我朱標這個人啊，別的長處沒有，就是最「阿殺力」，不愛拐彎抹角說話。拿人錢財，給人消災。我跟弟兄們賺這種錢，搞不好，命都會丟掉，妳就再加點錢給我，這樣就好辦事了。

莉：你「阿殺力」，我也「阿殺力」。一句話，要加錢可以，但是要用「汽油彈」、「酒精彈」和「定時炸彈」狠狠地幹一場，怎麼樣？

標：那正合我意。棒子、鐵勾、石塊，實在不過癮。

莉：來，這些錢再拿去，武器我會派人送去給你。

標：爽，這樣才有意思。

（敲門聲）

莉：那位？

成：學姊，是我，劉志成。

莉：（小聲講）有學生來了，朱標，你走吧！一切照我吩咐的去做，事成之後，再找我領尾款。（恢復聲量）請進。

標：譚組長，那我走了，再見。

莉：好，再見。

成：學姊，剛剛那個黑黑壯壯的大個子是誰？我好像從沒見過他。

莉：哦，他是我的遠房親戚，來找我，希望我幫他找一份工作。可是，目前沒有什麼適合他的工作，我叫他先回去，等有合適的工作再通知他來。

成：哦。您要我做的海報已經做好了，主要是我們要求執政當局，馬上回應的四項政治訴求，您看這樣寫好不好？

莉：嗯。

（翻閱海報聲）

莉：（唸）㈠解散國民大會，重建一元的國會制度。㈡廢除臨時條款，重建新的憲法秩序㈢召開國是會議，全民共謀體制危機的解決。㈣提出民主改革時間表，呼應民意的潮流。

成：還可以吧？學姊。

莉：很好，你做得很好，相信我們這理性的愛國行動與勇氣，一定能喚醒全國人民的愛國心，並贏得了熱烈的迴響。

（音樂過場）

（中正紀念堂群眾的嘈雜聲）

（擴音器傳出「民主阿草」、「竹枝詞」、「煙酒歌」等三首歌曲，與人聲，汽車聲混淆聲）

榮：愛華，這兒的群眾愈來愈複雜，愈來愈失去理智，我看我們還是回去吧！你看，那邊有幾個人行動詭異，一看就是流氓的樣子，八成要趁機撈一點油水，來個趁火打劫。

華：可是同學們都還在啊。嘉榮，要走，你走，我不走。

榮：你別管他們了，再不走，等一下眞的亂起來，就糟了。妳沒看報紙上報導，流氓用鐵鉤傷人的消息嗎？

華：沒有呀！那是多久的事？

榮：就上次農運的事。

華：對了，我想起來了，有一次南部的農民到台北遊行，結果抓到一批製造混亂，毆打警察及路人的歹徒。

榮：這些人啊，一天到晚不做正經事，打架鬧事，前科累累。只要有什麼社會抗議活動，像「工運」、「農運」，就會見到他們，他們參加這些活動，完全是爲自己圖利。

華：怎麼圖利？

榮：一定要有利可圖，他們才會冒險做不法的事。如果我預料的沒錯，八成是拿了某些野心份子的好處，像這種錢，賺起來旣刺激又痛快，最合他們的胃口。

華：眞是這樣嗎？

榮：我們自小一起長大，怎麼會騙你呢？……這裏太危險了，我已經感覺出氣氛不太對了，愛華，快走吧！

華：可是……

榮：別可是了，回學校唸書比較重要，這裏不是我們該來的地方。……走吧！回學校去。

華：不要拉我，我不想回去，不要拉我呀！放手，放手。

成：愛華，邱嘉榮欺負妳了，是不是？不要怕，有我。……邱嘉榮，人家叫你放手，你還不放，這樣拉拉扯扯的像什麼樣子？

榮：我跟愛華的事，輪不到你劉志成來管。

成：偏偏我就是要管，愛華的事，就是我的事。現在我親眼看見你在欺負她，你還有什麼話好說？

榮：欺負她的人是你，不是我，我是來保護她的。

成：分明是你拉著她的手，她叫你放，你不放。卻反倒回頭說我欺負她，這未免太離譜了吧！我倒想聽聽看，我是怎麼欺負她來著。

榮：愛華是個單純的好女孩，都是受了你和那個譚莉莉的影響，才會到這個複雜危險的廣場來。萬一出了什麼事，傷害到她，你擔待得起嗎？還有……

華：是我自己要來的，不關劉志成的事。

成：你聽，愛華說是她自己要來的。我也相信，愛華有獨立思考的能力，可以決定她自己要做的事。

榮：你認識她才多久，我跟她從小一塊兒長大，還會比你不了解她嗎？她從小被父母親寵著，在鄉下單純的地方長大，對事情的看法根本不成熟，你這樣把她帶來這兒，不是在害她嗎？

華：邱家榮，你住口，我才沒有像你說的那麼幼稚，不成熟，你這樣說簡直就是看不起我。我跟你說過了，爲了愛國，我要留在這裏，要走，你自己走。

成：膽小鬼，人家愛華都這麼說了，你還厚著臉皮幹什麼站在這兒，儘早回去當你的「乖乖牌」學生吧！

榮：劉志成，你知道自己在做什麼嘛？你這樣眞的會害了她的，要死就自己死，不要拉人家作伴。

成：我當然知道自己在做什麼，你既然那麼怕死，就快走吧。

榮：我不是怕死，是看得透徹，不願被野心份子利用。唉，如果你不及早醒悟，有一天你會後悔的。……告訴你，那個譚莉莉，她根本就是……

成：就是什麼？

榮：就是……沒有證據，我不能亂說。反正她不是什麼好東西，你們聽了她的話，實在太愚蠢了。

成：眞可笑，邱嘉榮，我看你才是個白癡呢！愛華根本不喜歡你，你還死纏著她不放，簡直太不識相了。

榮：閉嘴，愛華喜歡我的。

成：胡說，她喜歡的是我，不然她怎麼願意跟我來這裏。

榮：你這個無恥的「外省仔」，今天非好好教訓你不可，我要替你爸爸，一拳把你打醒。

成：沒你的份，你還沒那個資格說到我老子，要打就來，我早就看你不順眼了。今天剛好可以打個痛快。

榮：啊！可惡，口口聲說自己愛國，卻不知道這樣子很容易受人利用。

成：要打就來，少廢話。

（榮成兩人扭打音效）

（眾學生拉架音效）

華：（前兩個音效中夾雜）（急）你們住手，不要打了，快住手，不要再打了，你們——

（大吼）不要打了。

（打架音效停止，接上榮、成二人喘息聲）

華：（小聲講）嘉榮，我看你先回去好了。

榮：妳跟我一起回去。

華：不，我還是決定留在這兒。

成：邱嘉榮，愛華有她獨立自主的人格，你應該尊重她自己的選擇。不管你是否眞的關心她，但，她有權利按自己的意願行事，你何必多管閒事？

榮：不是我「雞婆」，愛管閒事。受人之托，忠人之事。愛華的父母要我多照顧愛華，我也答應了。……萬一她出了什麼事，我怎麼向兩位老人家交代？

華：我爸、媽也眞是的，人家又不是三歲小孩，還要把我托給人照顧，好丟臉。

成：你聽到沒有，愛華已經不是小孩，她可以照顧自己，不要你瞎操心，一切有我，發生什麼事，由我負責。

榮：這可是你說的哦！

成：我說的。愛華出什麼事，由我負責。

華：你們兩個有完沒完，好像我馬上會「災難臨頭」似的。我的事，我自己負責，誰要你們負責。哼！

榮：愛華，希望你不要後悔沒跟我走。哼！。

華：嘉榮……

成：他走了，還有我啊，愛華，我們別管他了。到那邊找學姊譚莉莉去，說不定她還有事要我們幫忙。

華：好，走。

（廣場吵雜聲，夾雜「解散國大，直選總統」呼口號聲。）

（譚莉莉帶領學生呼口號聲，與群眾吵雜混在一起的音效，口號如下「解散國民大會、召開國是會議、廢除臨時條款，提出民主改革時間表」。）

母：哎呀，這裏這麼亂，又這麼多人，那裏去找我的成兒？志成，志成……（呼喚）你在那裏？

（學生唱「國會生日快樂歌」）

（總統府對中正紀念堂民眾的廣播——來自遠處）

（台語）：「今天各位在中正堂的活動，全國民眾都非常感動，但是爲了社會安寧著想，爲了偉大愛國行動著想，請大家保持冷靜，任何問題都可以用理性方式解決」。

母：（叫）志成，我的成兒呢？現在下著毛毛雨，你沒帶雨傘，也沒穿雨衣，可別凍著了。（喊）志成，志成……

（總統府對中正紀念堂民眾的廣播——來自遠處）

（國語）：「今天各位在中正堂的活動，全國民眾都非常感動，但是爲了社會安寧著想，爲了偉大愛國行動著想，請大家保持冷靜，任何問題都可以用理性方式解決」。

母：志成，志成……喔……，終於讓媽找到你了，看你，頭髮都淋濕了。……來，雨傘拿著，我幫你把頭髮擦乾。

成：媽，您怎麼來了？

母：我帶雨傘、外套，……喏，還有「雞精」來給你。快，把濕衣服脫下，穿上外套。

（穿衣服聲）

成：媽，謝謝您。現在下著雨，您身子骨虛，還是趕緊回去歇著吧！

母：你先把雞精喝下，我才走。

成：我不想喝，也喝不下。

母：那怎麼行？這幾天你不吃飯，只喝水，臉都瘦了一圈。（傷心的）媽看了好心疼，你知道嗎？

成：媽——您別難過，我真的喝不下。有任務在身，不能照顧您，您快回去吧！

母：任務，什麼任務？

成：您看這邊圍了繩子沒有？

母：看到了。這繩子圍著你們做什麼用？

成：與那些野心份子，不是學生身份的人劃清界線。我負責站在繩子邊，檢查進出靜座區，各色人等的證件，以免被身份不同的人混進來。

母：哦，……那更需要體力了，來，乖，快把雞精喝了，補一補身子。

成：我真的喝不下呀，媽。

母：不喝就跟我回家，不許再留在這邊胡鬧。像你這樣，就是鐵打的身子也撐不住呀！走，跟媽回家。……好你不走，我也不走。……唉，養了你這麼大，你還……（傷心地）還從來沒有讓媽這麼痛心過。雖然，你小時候有點調皮，但都還算聽媽的話，現在大了，就不聽媽的話了。……真是生得了兒身，生不了兒心喲！

成：媽您，別這樣，我喝就是了。

（喝雞精聲）

母：對，這才是媽的的好孩子。……來，這是媽特給你做的牛肉餡餅，還溫溫的，趕快，多吃幾個。

成：我現在絕食，只能喝液體物質。

母：誰說的，你平常吃好的，穿好的。說絕食就絕食，身體吃不消的把身體搞壞了，還能做什麼事，還能對國家有什麼貢獻？

成：這是原則問題呀，媽，我一定要撐下去。您還是快回去吧！我眞的要去執行任務了。

母：志成，志成，等一下。這牛肉餡餅，你就留在身邊，想起來要吃的時候，就拿出吃，哦？

成：也好，……媽，我眞的必須去執行任務了，你快回去別受涼了，告訴爸，我很好。……媽，再見。

母：志成，志成……唉，眞的是生得兒身，生不了兒心啊！……雨下大了、

（雨下大起來的音效）

（音樂過場）

（中正紀念堂廣場起了恐慌氣氛，群眾驚叫聲）

華：哎呀！那邊有人在爬國旗旗杆！志成，你看。

成：這得了，國旗是先烈們流血流汗，換來的國家象徵，他們怎麼可以任意破壞。

華：糟了，旗杆已經被扳倒了，他們正要點火把國旗燒掉！快呀我們快去救。這種連國旗都不要的人，還算中國人嗎？太可惡了。走，我們過去保護國旗。

成：不，愛華，妳留在這兒比較安全，由我過去就好了。妳一個女孩子，在那種混亂的場面裏，太危險了。妳在這兒等著，不要亂跑，我去去就來，嗯？

華：我也要去，愛國不分男女，如果怕危險，當初我就不會，執意留在這廣場，參加偉大的愛國行動啦！走，我們一塊兒過去。

成：不行，妳還是留在這裏比較好，我必須對妳的安全負道義上的責任，所以請妳留在這裏好嗎？

華：哎呀，好啦，好啦，你快去吧！再不去救，國旗都要被他們燒成灰了。

成：好，我就去，妳別走開，等我來，嗯？

華：好！

（音樂劃過）

莉：朱標，趁現在一片混亂，帶弟兄們去丟汽油彈呀！

標：譚組長，你睜眼看著，我們的人，一定叫這片廣場，鬧的「雞飛狗跳」，打得他們「落花流水」，慘不忍睹。

莉：記住，丟了之後，就快跑，口罩、帽子，掩護的東西都準備好了嗎？

標：安啦！我朱標辦事，還有什麼話說。……除了汽油彈，還有石塊、鐵條、鐵鉤……，哈，保證把他們砸得稀疤爛！

莉：準備好了就快去行動，別老在那兒嚼舌根。

標：是。哈哈，看我的了。

（群眾吵雜聲）

（汽油彈爆炸聲）

（受傷群眾驚叫聲）

華：啊！（尖叫）我的眼睛，我的眼睛。

成：怎麼一下子，會亂得這樣？……喔，鋼條，是鋼條和玻璃碎片刺進了我的頭，流血了。不知道愛華怎麼了？我得立刻找到愛華才行呀，不知道她現在怎麼樣了？愛華……

（群眾哀叫，痛罵聲）

華：我的眼睛，怎麼張不開？哎呀，好痛，好痛。

成：（急）愛華，你怎麼了？你怎麼了！

華：我的眼睛好痛，好痛。剛才汽油彈的火星，濺到我眼睛裏去了。

成：快走，我送妳到醫院，我的頭部也受傷，流血了。

華：志成，我的眼睛會不會瞎掉？

成：不會的，一定不會的，妳放心。來，我牽妳走。我們趕緊叫車到醫院去。

（音樂）

父：志成，我一接到醫院打到家裏來的電話，馬上就趕過來了，醫生怎麼說？

成：醫生說，幸好傷口不深，沒有進入腦部內層，否則，麻煩就大了！

父：受一次教訓，學一次乖。先前我對你說過，陰謀份子，利用你們青年學生的愛國心；搞學潮，製造政治紛擾，使我們的社會混亂，弄得人心惶惶，叫你不要跟著那些人走，你不聽，現在你嘗到滋味了吧？這就是不聽老人言，吃虧在眼前。

成：爸，您怎麼能一口咬定，這事是誰幹的？

父：以我多年的經驗判斷，絕對錯不了。……說不定你常常說的，那個譚莉莉，就是「幕後的領導份子」。

成：我不相信，她那麼愛國，說什麼我都不信。

父：總有一天你會相信的。雖然，事實有時候會被矇蔽，但，等你腦子完全清醒時，必能洞悉眞相，你自己好好想一想。我去幫你辦住院手續。

（開門又關門聲）

榮：劉志成！

成：邱嘉榮，愛華現在情況怎麼了？

榮：醫生說，恐怕不太樂觀。

成：她的眼睛會不會瞎掉，會不會？

榮：還要觀察一段時間，才能確定。

成：老天爺，千萬不能讓愛華的眼睛瞎掉，她那麼年輕，善良，……如果瞎了眼，往後的日子怎麼過？啊，老天爺，難道我們參加偉大的愛國行動，熱心國家大事也錯了嗎？

榮：本來就是你的錯，如果那天讓我把愛華帶回學校，就不會發生今天這種事。

成：這也不能完全怪我呀！我怎麼知道會發生這樣的事？

榮：到現在還講這種話，要不是你現在，腦袋已經開花了，哼！我眞想好好揍你一頓。……不知道你要到什麼時候才能澈底醒悟過來，要不是看在我們同學三年的份上，我根本懶得理你。

成：你講這話是什麼意思？

榮：什麼意思，你自已應該心理有數。

成：眞的，我不明白。

榮：你是眞不明白，還是裝迷糊，或是腦袋眞的壞了。嗄？記不記得我要離開中正紀念堂廣場之前，我們打了一架的，你還記不記得？

成：記得。

榮：那時候，你是怎麼對我說的？

成：那時候……哦，我想起來了。那時候，我們爲了愛華要不要留在廣場而起衝突。後來，爲省籍因素而大罵起來，然後打一架。

榮：我說的不是這個，……是你對愛華承諾了什麼？

成：我……我說過要保護她的安全。

榮：現在呢？你非但沒有好好保護她，連自己也受了傷。萬一，她的眼睛眞的瞎了，叫我如何向她的父母交代！

成：（自言自語地）這是意外。天啊，請不要讓愛華的眼睛瞎掉！

（音樂換場）

父：志成，你傷勢怎麼樣了？

成：好多了。只是我擔心愛華的眼睛，還不知道會不會瞎掉？

父：你們做學生的，讀書最要緊，根本就不應該去捲入，什麼政治活動。

成：爸爸，她眞要瞎了眼，我會一輩子良心不安的。

父：孩子，先別想那些，愛華的眼睛會不會瞎，還是個未知數。也許老天保佑，過幾天後，就完全康復了也說不定。最重要的，是記住這次的教訓。你媽現正在家裏爲你燉雞湯，燒你愛吃的菜，希望你能很快復原。

成：爸，這一次出了這種事，害你和媽爲我操心，我實在對不起你們。尤其是媽，我眞不該一再惹她傷心。

父：你知道就好，以後做事要多想想，我知道你是個好孩子，只是一時糊塗。對了，出了事後，那個譚莉莉學姐有沒有來看過你？

成：奇怪，我覺得，學姐應該會來看我和愛華，可是，她怎麼一直都沒有來呢？……是不是事情太忙了，走不開？

父：志成，你錯了。今兒個我特地拿了一份資料，來給你看。看了這份資料，就完全明白是怎麼一回事了。

成：是什麼資料？

（翻閱紙張聲）

父：是關於譚莉莉的底細，及她的工作背景，你仔細看。這是我從一個情治單位工作人員手中，拿來的。他們對陰謀份子的調查，十分深入正確，絕對錯不了。

成：什麼！學姊眞是陰謀組織的一份子。她負責的工作，是專門吸收學校各班級的外圍份子，發表不滿現實和反政府言論。對於愛出風頭的激烈份子，即拉攏他與班級的負責人連絡。用一些不當的書刊雜誌作爲媒介。要其加入組織，再利用戀愛婚姻等問題，挑撥省籍之矛盾。使本省人、外省人形成對立情勢，破壞團結，造成孤立、分化，運用政治活動，展開罷課、遊行等學運工作，製造暴力事件。……啊！我實在不敢相信，這眞是太可怕了。

父：孩子，我知道讓你明白了眞相，對你是很大的打擊。但不經一事，不長一智。現在你已經長大了，你應該認清這一個事實，不要再糊里糊塗受人利用了。

成：原來……學姊還是他們分站小組長，派駐在我們學校，專門發動群眾運動，並挑撥本省人與大陸人的感情，引起本省人反感。將學生做爲利用的工具，從而製造事端的「

兩面人」，如今，我們出了事，受了傷害，她躲起來還來不及呢！當然不會來看我們了。

（音樂）

成：愛華，這幾天，你住在醫院裏，學姊，有沒有來看過你？……

華：志成，是不是學姊太忙了，託你代她來問候我？我聽廣播說，李總統已經接見了我們學生代表，作了良好的溝通。……

成：愛華，你還是靜心休養要緊……這些國家大事，總統自然會處理，用不著我們瞎操心，……這一次，我們學生絕食、靜坐，全是受人利用了，妳知不知道，……學姊根本就是陰謀組織的一份子，……她是我們學校分站的小組長，……我們滿腔的熱血，……只是做了他們發動政治示威的「工具」……我們眞是太傻了。……

華：志成，……怎麼，今天你的口氣變了！……難道，我們眞的受騙了？……

成：我們……是瞎了眼，受了那些認不清眞相又愛出風頭同學的影響，瞎起鬨，事實上，在幕後完全有野心陰謀份子在操縱。我們卻茫然無知，全被矇在鼓裏，……不跟瞎了眼一樣嗎？……

華：志成，眞是這樣嗎？……

成：愛華，……我眞感到愧疚，拉妳一起去參加靜坐抗議，……結果卻讓你受到這樣大的傷害，……對了，醫生給妳檢查的結果怎麼樣？妳剛才把紗布拿掉後，有沒有看見？

華：醫生安慰我說，……再治一陣子看看，也許可以復明，……不過，……他沒有絕對的把握！……

成：愛華，若是妳的眼睛的瞎了！（哀傷痛心地）……我願照顧妳一輩子，……都怪我，……是我害了妳。……

華：志成，不怪你，……誰想到，當時會有人丟擲汽油彈呢？

成：我爸說的不錯，完全是有「預謀」的，……過去與警察對抗時，只是用棍子，石塊……想不到這次竟然會用上汽油彈！……真丟在頭上，可能命都會送掉！

（敲門聲）

華：誰？志成，快去開門。

成：邱嘉榮，是你。……

榮：愛華，……妳媽，……坐專車從台南來看妳了。……

華：（驚訝大叫）媽，……你，……怎麼來了？……

張母：（痛心的喊叫）愛華，……妳……妳……怎麼變成這個樣子，……孩子……你怎麼這麼糊塗呢？好好的在學校上課，……讀書，……爲什麼去參加什麼……什麼愛國活動，靜坐、絕食、抗議……妳忘了，爸和媽，……爸和媽就只有，妳這麼一個寶貝女兒嗎？……

華：媽，……妳別說了，我知道我錯了！……

張母：嘉榮，……你也太不負責任了……怎麼我要你照顧愛華，結果照顧成這個樣子呢？……一個女孩子瞎了眼睛，……將來還會有誰來理她！……唉！……嘉榮，我眞不知怎麼說你才好！

榮：伯母，我盡力了，……但，發生這種事，……我實在對不起妳。……

華：媽，……我的眼睛並沒有瞎，……醫生說，再治一陣子看看，……也許可以復明的！……

張母：愛華，那是醫生安慰妳的話，……當嘉榮打長途電話告訴我說，醫生已經明白的告訴他，沒有希望了，我才急忙包了部計程車趕來的，……妳爸現在不知道呢！……孩子……媽辛辛苦苦把妳扶養到二十歲，從幼稚園、小學、中學到大學……唯一的希望是妳有一個幸福的將來，……現在……你變成個瞎子，什麼也看不見，以後還能讀書嗎？……妳還能出國留學，……你還能……嫁到一個好丈夫嗎？……（越說越傷心，泣不成聲）……

成：伯母，妳別難過，……愛華瞎了眼睛，全是我害的，……我願意娶她，……我要照顧她一輩子。……

張母：你是誰？……我可不認識你，……你害了愛華，……你還有臉來給我說話，……你有本事，……你就賠我女兒的眼睛，你能賠得出來嗎？……

榮：伯母，……是我那天，沒有盡到責任，若是我堅持，不讓愛華參加抗議絕食活動，…

……也許就不會發生這樣的慘事？……我不對，我錯了！（自己打自己耳光，一聲又一聲不停……）

張母：嘉榮，……你別這樣……眞把你的臉打腫了，又有什麼用呢？或許這是她的命，……只是回去，我怎麼跟她爸去說呢！……

成：愛華，……你肯原諒我嗎？……

華：……

榮：愛華，……妳還在恨我嗎？……

華：（沉默）

張母：（訝異）愛華，妳怎麼不說話？……千萬別想不開啊！不管怎麼樣，媽，……永遠是疼妳的，……你是媽的心肝寶貝，……媽會照顧你一輩子的，……。

華：媽，……妳別難過了，……我的眼睛雖然瞎了，……可是現在，我都明白了，……把一切都看清楚了，……台灣是中國的一部份，……中國人應該團結起來，才能富強康樂，爲什麼，有些人，偏偏想不通，要主張台灣獨立，……難道台灣人就不是中國人嗎？……

成：愛華，妳說得很對，……台灣人、大陸人，大家都是中國人，……何必區分彼此，鬧得這樣頭破血流，水火不容呢？……

榮：志成，希望你能原諒我，過去對你的誤解，……我不知道你對愛華，……用情這麼深，更不知道你眞的這麼愛國。……

（愛華笑聲）

張母：愛華……你怎麼突然笑了？笑得這麼可怕？……

榮：（小聲的）她該不會是受太大刺激而瘋了吧！（大聲）愛華……

眾：愛華……你怎麼了？你沒事吧！

華：我是在慶幸，雖然我已是個瞎了眼的人。但，至少，我現在心裏，已經眞正明白清醒了。

（音樂起）

——全劇終——

我愛原則我愛你

我愛原則我愛你

（民國八十年九月十五日在中廣「閩南語廣播劇」播出）

柯玉雪編劇

人物：

蔡美珠：鄉公所女職員，二十七、八歲。個性坦率，略帶男子氣。（珠）
蔡　父：美珠的父親，溪州村老農夫。（父）
許麗華：美珠的同事，二十五、六歲，聲音嬌美。（華）
陳啓文：鄉村業餘年青畫家，玩世不恭又自命風流的富家子弟。（文）
王三德：溪洲村幹事，性情溫和勤儉。有點娘娘腔，不太像個大男人。（德）
九嬸婆：某鄉民代表候選人的助選員，中年村婦。（九）

（音樂、劇名、演職員報幕）

（機車聲）

珠：麗華，今天我們就在這兒分手，你先回家，我還有點事要辦。

華：哦？……你不回家吃飯？

（兩輛機車停下聲）

珠：對，我已經打電話跟我爸爸說過了。

華：（俏皮地）是不是有人請吃飯，跟男朋友約會？

珠：（敷衍地）沒有，沒有啦！

華：看你的樣子，我就知道，有。……是誰？……啊（瞎猜）該不會是我們溪洲村的村幹事王……

珠：（緊接著）王三德，像他那種又鹹又澀的小氣鬼，就算中了「大家樂」，也不會輕易請人吃飯。何況，他從沒想過去簽「大家樂」。

華：不是他會是誰？……美珠，你對我向來沒有秘密的，今天怎麼變得這麼神秘起來，這不像以前的你。……這件事恐怕不簡單哦。

珠：（急）（小聲的）再不打發她走，就要遲到了。怎麼辦？……她不走，我走（恢復聲量）麗華，你先回去吧！我們改天再聊。（發動機車聲）再見了！

華：美珠，美珠，別急著走，我還有話問你……

（音樂劃過）

珠：怎麼沒看到啓文？他該不會等太久，先走了吧！

（西餐廳音樂）

文：美珠，妳來了。……剛剛我打電話到鄉公所辦公室，沒有人接，心想妳一定出來了。

珠：抱歉，在路上跟同事聊太久，所以來遲了。

文：沒關係，沒關係。我們坐這兒，慢慢談，我已經幫你點了一客海鮮總匯鐵板牛排，相信你一定會喜歡的。

珠：眞不好意思，啓文，又讓你破費。

文：這點小事不算什麼。……你說過我們是朋友，不必這樣客氣。怎麼你自己反倒客氣起來？說實在的，能跟你一起吃飯、談天，我覺得很快樂。

珠：我也是。

文：你看，這幅畫像是我花了三天兩夜的時間才畫好的。你滿不滿意？

珠：啊，這……（感動地）我從沒有想到，自己還可以當模特兒，被畫成藝術作品。……我好喜歡，眞是謝謝你，謝謝你……只是，我的頭髮又短又整齊，好像並沒有像這張畫上的，看起來有點亂。這……

文：這就是藝術，就是生命活力的展現呀！美珠，繪畫的原理是要把畫家眼裏，美的影像、美的神韻留在畫布上。讓這短暫的美歸到永恒，而不是一筆不差的做一個畫匠。如果要這樣，只須照像機就夠了。

珠：嗯，眞有道理。……可是你把我畫得太美了。

文：不，是上帝。上帝是最偉大的藝術家，他造的每一個女人，都是美的化身。畫家的職責便是，讓美的事物在畫布上，展現不朽的精神。我愛畫女人，道理就在這兒。……

對了，我要借大禮堂開畫展的事，進行的怎麼樣了？

珠：公文還沒辦妥。……只是我不明白，爲什麼一定要在八月十五那天開畫展？這天似乎有人申請了。

文：因爲五年前的那一天，我得了個靈感，立志要成爲專門畫美女的畫家。所以，這個日子對我特別有紀念價值。美珠，你一定要幫我借到場地。

珠：好，包在我身上。像你這麼有才華，終有一天，一定會成爲名畫家的。到時候你不會忘了我吧！

文：當然，我們永遠是好朋友，我怎麼可能忘了你。

珠：眞的嗎？

文：我用一個畫家的人格向你保證，不信我可以發誓……皇天在上……

珠：沒有人要你發誓，我相信你就是了。（微笑）

（音樂分場）

父：一大清早的，美珠在後院忙些什麼？

（修涼椅的敲擊聲）

珠：阿爸，你起來啦？怎麼不多睡一會兒？

父：我聽到這後院喀喀的聲音，就過來看看，你在敲什麼東西啊？美珠。

珠：修涼椅呀！我必需在上班之前幫你把它修好。這樣，到了中午，你又可以拿著涼椅去榕樹下乘涼。一邊聽收音機，一邊和人聊天了。

父：美珠，你眞是我孝順的乖女兒。阿爸年紀大了，多麼希望看你早日結婚，有一個圓滿的歸宿。算算你也快二十八、九歲了吧！

珠：阿爸，現在流行晚婚，我們鄉公所裏三十幾歲還沒出嫁的，多得是呢，再說，我嫁人了誰來照顧你？

父：話不能這麼說，你總不能一輩子不嫁人呀！……前幾天我們村的村幹事，找人來探探阿爸的意思，他想娶你。如果你願意，他就正式請媒人來說親。

珠：王三德？他想娶我？

父：對，如果你跟他結婚，照樣住在溪洲村，阿爸也可常去看你呀！這不是很好嗎？

珠：他的個性太小家子氣了，我不欣賞。很多同事不了解，背地裏還一直說他是小氣鬼。

父：有這種事？在我看來，三德這孩子勤儉、老實，並不像他們說的那樣。

珠：涼椅修好了。……爸，這件事暫時別提，我還想多陪您幾年呢！

父：呵呵呵……（笑）我的好女兒，老爸是爲你的幸福著想，女人的青春不常在，該把握的時候就要把握。錯過了這一個，要再找一個這麼合適的可不容易哦！你自己考慮再做決定還不遲。

珠：我知道了。（小聲地）誰會喜歡那種小氣鬼？

父：雨季快到了，屋頂上的破洞，必需趕緊找人來修才行。我這就去找水泥工，太晚去怕他出門做工，找不到人來，我走了。

珠：爸，您慢走。

（後院竹籬笆斷裂聲）

父：哎呀！（被石頭絆倒撞到籬笆聲）

德：蔡阿伯，小心。

父：三德，好在你正好扶著我，不然這一跤摔得可不輕。謝謝，謝謝。人老了就是容易眼花。……對了，上次我問你要不要投資我姪子新設的養雞場，你考慮的如何？

德：養雞我不內行，也不感興趣，所以……眞失禮。美珠她還沒去上班吧？

父：還沒……你可以進去找她，不過……暫時不要問她關於結婚的事。

德：我知道。我是爲著村民歌唱比賽的場地問題，來找她幫忙的。

父：哦。我得去找修房子工人，再不去就找不到人了。

德：蔡阿伯，再見。

父：再見。

（機車發動聲）

德：美珠，妳先別走，我有事找你。

珠：什麼事？三德。

德：八月十五那天，我要爲村民辦一個歌唱比賽，老早就向鄉公所登記，商借大禮堂做場地。

珠：我知道，公文不是批下來了嗎？

德：對呀！可是上頭批的是不准。

珠：不准就改天嘛。

德：爲什麼會不准？我提早那麼多天去申請，怎麼會不准呢？美珠，我廣告都發出去，報名的人也都登記好了。連客串演出的歌星都敲定這天，要改日期是不可能的。而我們鄉裏又只有這個場所適合歌唱比賽。你一定得幫我想想辦法。

珠：嗯……你可以去學校借操場搭露天歌唱檯，甚至去附近的戲院租呀！

德：那要花多少錢！村辦公室爲了爭取舉辦這次活動，把預算壓得很低。那一點點經費，不夠去租戲院的。露天歌唱檯太簡陋，縣政府視察人員來看了，我這個村幹事恐怕要被記二個大過。

珠：那，我也沒辦法，大禮堂要借給誰，是我經手辦公而已，准不准不關我的事。

德：妳別騙人。我雖是村幹事，常常在村辦公處上班，但也算鄉公所的職員，常常要回鄉公所辦事。……有人告訴我……告訴我……這，這話不知該說不該說？

珠：說，你聽到些什麼？說沒關係，我不會生氣。

德：他們說你有「假公濟私」的嫌疑。

珠：「假公濟私」，這話是誰說的？我哪裏假公濟私了？

德：先別管是誰說的，大禮堂主要是爲配合鄉村農民的活動而設的。你讓那個三流畫家陳啓文開畫展，而不讓我爲鄉民們辦歌唱比賽。況且，是我先提出申請的，憑什麼他的能准，我的就不准。

珠：王三德，你又憑什麼說人家是「三流畫家」，那你自己是什麼？我做事一向公事公辦，問心無愧。你自己不等場地核准後，再去做廣告，安排那些事。反倒跑來這兒質問我，實在是無理取鬧。

德：明明是你在袒護陳啓文那小子，還說我是無理取鬧。他倒底那一點值得你爲他，這樣盡心盡力的？

珠：他是畫家，他愛藝術，他是我的朋友。

德：朋友！（傷心地）美珠，你該不會愛上那個，滿嘴甜言蜜語的公子哥兒吧！

珠：（怒）不必這樣傷我的朋友，你不覺得你這樣子說他，實在太過份了嗎？

德：哼！過份的人是他。開畫展可以挑別的日子，他偏要在這天跟我爭場地，還把你迷成這麼神魂顚倒。

珠：你愈說愈離譜，我不想再聽了，你走，走遠一點。最好不要讓我再看到你。

德：不，場地的事你不給我一個交代，今天我是不會走的。……

（機車發動聲）

珠：我要上班去了，這事以後再談。

（拉扯聲）

珠：不要拉我，這樣子拉拉扯扯，你想做什麼？

德：沒有，我只想爲鄉民爭權益。你不可以這樣對我。

珠：放手，放手……再不放手，我要叫救命了。

九：哪？美珠，你們在吵些什麼？三德，不要這樣子。

珠：九嬸婆，你來得正好。

德：對，請九嬸婆來評評理，到底是鄉民們的歌唱比賽重要，還是陳啓文那小子的美女畫展重要？

九：重不重要有什麼關係？

珠：這兩個活動日期都敲定八月十五日晚上，在鄉公所的大禮堂。上頭准了啓文的畫展，沒有准三德的，所以他在這兒吵，要我那兒再去生個大禮堂出來。

德：本鄉的禮堂，主要是爲配合本鄉農民而設的，分明是她假公濟私，利用職務上的方便，替陳啓文辦事。她已經被那小子迷得團團轉了。

珠：這是兩回事，你硬要混爲一談，我有什麼辦法？

九：等等，你們是爲著八月十五日大禮堂的使用權在吵？

德：是啊！一定是美珠在搞的鬼，我要她還我一個公道。

珠：我才懶得理他，是他自己在吵。上頭批准啓文開畫展，他不服氣。這事不能怪我呀！

九嬸婆，你說對不對？

九：呀，這就不妙啦！

珠：什麼事不妙？難道您也……

九：對，我也是八月十五日晚上，想借用那個大禮堂，所以今天特地來找妳幫忙。妳一定要幫我。

珠：天啊，平常空著沒什麼人申請，這會兒大家一齊都要用，眞是難辦。

德：九嬸婆，我們一個辦歌唱比賽，一個開畫展，不知你要那場地做什麼用？

九：發表政見，幫我表弟吳大頭競選鄉長做宣傳。

德：爲了拉票，也不一定要八月十五日那晚，您還是別揷進來跟我們搶大禮堂。

九：不是我愛攪和，這件事若辦不成，我表弟就選不上。

珠：怎麼會這樣嚴重？

九：美珠你不知道。昨天我表弟到「石半仙」那裏去卜卦。那石半仙說，如果能在八月十五那天，辦一個大型的政見發表會，配合他所做的法事，保準高票當選。

德：迷信、迷信……（笑）今天科技發達，這一套還能信嗎？太不可思議了。

珠：（笑聲）是啊，江湖術士的話不必採信。

九：你們不信是你們的事。我表弟吳大頭堅持要我辦成這事。所以，美珠，你若是幫我這個忙。將場地歸我使用，吳大頭不會虧待妳的。

珠：這……我恐怕愛莫能助。
九：那我來把他們兩個擺平。……三德，你放棄爭取那天大禮堂的使用權，要多少錢開出來，我給你向吳大頭去拿。
德：嗟！你把我當成什麼人啦！
珠：三德，你不是一向喜歡存錢嗎？這也算一個弄錢的機會，想不到你會放棄。
德：唉！美珠，連你也錯看我了。我雖然愛錢，但君子愛財，取之有道。我怎麼能貪取這不義之財，而置鄉民的利益不顧，我是有「原則」的人。
珠：嗯！言之有理。
九：你不要這錢，眞是傻瓜。辦那個什麼歌唱比賽，對你有什麼好處？你何必非辦不可。
德：這是我的工作，我的興趣。
九：興趣能當飯吃嗎？吃公家飯的，做的又只是名小小的村幹事，不必太認眞啦！美珠，把場地歸我。
德：不，要歸我才對。
九：美珠，別聽他的。那個憨小子不通人情，不要理他。
德：要做政見發表，大可以露天舉行，只要一組麥克風就夠了。不像歌唱比賽，要有樂隊席、評審席，觀眾席和燈光。況且，我是先來你後到，沒有理由跟我搶。
九：不是我來搶，這事成不成，關係著一個人當選不當選。現在要辦政見發表會，不能太隨便，場面要隆重才能吸引人來。所以非要有大禮堂不可，美珠，我們算來也是親戚，妳不能幫著外人，不幫自己人。

珠：唉！（不耐煩）我再想想看，有沒有兩全其美的辦法，過幾天再談吧！我必需要去上班了。

（發動機車聲）

德：美珠，等等我，等我……

九：別急著走，我還有話說。

（機車快速離去聲）

九：（同時）哼！

德：（同時）哼！

（音樂劃過）

華：美珠……美珠

珠：（心不在焉地）啊，麗華，什麼事。

華：你今天是怎麼了？看起來心不在焉的，是不是有什麼心事？你這樣失魂落魄的，我很擔心。

珠：我很好，沒什麼。只是……

華：只是什麼？

珠：只是有件事讓我心裏很煩，不知道該怎麼辦？
華：是公事還是私事？
珠：公事、私事攪在一起，讓我體會到做事不易，做人更難。
華：究竟是什麼事，使你有這感嘆！
珠：就是大禮堂出借的事。
華：哦，那不是很簡單，只要塡好表格，按規定辦一些手續就好了嗎？
珠：問題是他們三個人，都堅持要在八月十五日，使用那個場地。
華：三個人爭用一個場地，確實叫人頭疼。不管如何，總有個先來後到的秩序，可以叫他們先來的先用。
珠：那……先來的是王三德，他生氣說爲何他是先來的而沒有准用大禮堂，才去找我理論——怎麼給陳啓文用。
華：對呀，是有些說不過去。那個陳啓文對你如何？妳跟他……
珠：啊！沒什麼、沒什麼，只是朋友，我不願看他失望，所以幫著他讓公文簽下來。
華：既然公文都下來了，其他人還有什麼話說。
珠：王三德你是知道的。他很清楚我們鄉公所的作業情形，如果不給他一個滿意的答覆，他不會原諒我，到時候說不定會去會場大鬧。
華：那怎麼可以。

珠：九嬸婆是我的親戚長輩，我得罪不起呀！她要幫他表弟吳大頭競選鄉長。如果沒選上還好一點，萬一選上了難保他不記仇，利用他鄉長的職權，找我麻煩甚至把我趕出鄉公所，叫我辭職。一想到這兒我就更爲難了。

華：嗯，這件事你一定要謹慎處理，弄不好就會落得兩面不是人。

珠：是啊，麗華，我該怎麼辦？你有沒有比較好的法子？

華：這……一時也想不出什麼好辦法。……讓我想想……

珠：剛剛我在想，是不是讓他們抽籤，抽到誰就給誰，可是……這個辦法也不頂好，似乎對啓文不公平。

華：眞正受委屈的是王三德。於情於理，他辦的公益活動，給鄉民正當的育樂餘興節目，最有資格使用大禮堂了。

珠：我知道。當初我以爲歌唱比賽嘛，那一天辦不都一樣，但八月十五日對啓文有特別意義呀！所以……唉，如果我早知道三德把廣告都打出去，樂隊、歌手……都安排好那天來，我就不會特別幫啓文，而害三德今天急成這樣子。……如果我媽媽還在人世就好，她一定會知道這件事怎麼處理。……（求告的語氣）（阿母）媽，你在天之靈要保佑我呀，媽。……

華：哎呀，有了。我想起來了。

珠：快說，快。

華：剛剛你談到你媽，讓我也想起我媽。

珠：你媽？

華：嗯，我媽有個乾女兒，她住在台北，你不是和我去找過她嗎？就是開茶藝館的那個呀，你記不記得？

珠：記得，記得，但她跟我們討論的問題，有什麼關係？

華：她開的茶藝館是多角經營，裏面可以喝茶，看畫，聊天、開會……

珠：麗華，我已經很懊惱了，你還在跟我開玩笑。

華：他們三個人都非要那天不可，你是誰都得罪不起，也不願得罪。如今唯一的辦法，就是讓他們一起來，「多角（元）化」使用大禮堂。那麼你豈不成了大好人，面面俱到，又沒有紛爭了嗎？

珠：耶？我怎麼沒有想到，這樣行得通嗎？

華：可以啦，你想想看。畫展主要是把畫掛起來讓人去看而已。到時候歌唱比賽和聽政見會的人，可順便看看畫。那唱歌的和演講的人也可以輪流上台，或劃分區域進行，互相不干擾。

珠：如果他們願意，這眞是個好辦法。

華：那你還等什麼？趕快通知他們來開會，商量細節呀！

珠：好。謝謝你，麗華，謝謝。

華：別謝了，我能幫最要好的朋友出個小主意，自己也很高興，誰叫我是你最好的朋友。
珠：（笑聲）等事情解決後，我不會忘記你這份情的。
（音樂）
九：（以選舉拉票的腔調）各位鄉民，我是登記第三號鄉民候選人大頭仔的助選員。嘿！人家都叫我九嬸婆，咱大頭仔，在鄉裏熱心公益，舖橋造路，救濟窮人。親像這款好人，咱大家要來給他支持，來給他贊助，來投一票給伊。伊若當選，絕對講話算話，為咱鄉民農友謀福利……
（觀眾吵雜聲）
觀眾甲：說要唱歌，怎麼還不唱？
觀眾乙：唱歌卡好，快唱，快唱啊！
（觀眾情緒不安浮燥聲）
德：九嬸婆，我看先給伊唱一條歌，你等一下才再講。
九：（不悅的）好啦！好啦（以上小聲）唱歌完再繼續。
德：各位鄉親，農民朋友，現在換咱溪洲村的歌王柯石柱，來為咱唱一首「故鄉」，（可以用其他台語歌代替），咱鼓掌歡迎。
（觀眾鼓掌聲）
（樂隊前奏聲）

（演唱者嘶聲演唱）

（觀眾情緒漸漸亢奮聲）

（小孩哭鬧聲）

文：小朋友，不要跑來跑去的，回去位子上坐好。

（小孩嘻鬧更大聲）

文：你們這幾個小鬼，這樣子亂跑亂撞……啊，小心我的畫，別去碰它們，小鬼。

（小孩叛逆性的嬉笑聲）

（演唱者唱到歌曲中最快節奏部份）

（觀眾甲、乙、丙歡呼、吹口哨、叫好聲）

（畫掉落聲）

文：那是我最喜歡一幅畫啊！你們怎麼可以把它撞落在地上踩來踩去。

（小孩驚怕逃走聲）

文：別逃，別逃……

德：發生什麼事了，陳啓文？

文：王三德，你走開，別擋住我。

德：你冷靜點，不要激動……

文：那些來看歌唱比賽的小鬼，把我最喜歡的畫在地上踩，叫我怎麼不激動？

德：小孩子不懂事，你就原諒他們吧！

文：原諒他們，我找誰算帳？你要負責賠償嗎？

德：耶！你這個人怎麼這樣子講話？我好心好意來安慰你，你不領情也就算了，倒要反咬我一口。我們到外面說清楚。

文：本來就是你該負責。原先祇有我一個人用這個場地，是你把那些「沒水準」的老人、小孩、工人、農民帶進來，才會發生這種事的。

德：我們的鄉民農友「沒有水準」，像你這種只會畫「醜」女的三流畫家，就有水準了？

文：哼！我眞後悔，當初答應美珠，跟你們共用這個禮堂。我要是能堅持自己一人使用，今天也不會有這種事發生。我的忍讓沒有一點代價，還損壞了一幅我心愛的畫，我再也不要容忍你了。

德：你說話客氣點，我才是一直看在美珠的面子上，克制自己來容忍你呢？你連一點感激的心都沒有，竟然反而說是你在容忍我，簡直太可笑了。

文：如果我不答應，與你們共用大禮堂，你今天能順利把歌唱比賽辦下去嗎？你別忘了，我准用大禮堂的公文，比你們先發下來。

德：辦公文的那一套我比你清楚，如果不是美珠幫你，像你這種畫展，跟農民沒有什麼直接關係，要使用這個場地是不可能的。你還自己以爲多麼了不起，哈……

文：你敢取笑我，太看不起人了。

德：難道不是這樣嗎？哈哈……

文：（惱羞成怒）可惡，今天我就讓你嘗嘗我的厲害。

（打人的聲音）

德：（有點膽怯）君子動口不動手，你，你，你這樣用暴力，算什麼英雄好漢？

文：有種就痛痛快快的打一架，別說那些廢話。

（兩人扭打聲）

九：嗨，你們兩人在這兒打打鬧鬧幹什麼？快住手，裏面的節目還要進行呢！

文：九嬸婆，不要拉我。

德：（喘氣聲）這個人不可理喻。

九：少年郎，有話好好講，不要這樣子動手動腳的，很不好看。

德：是他先動手的，我一直在忍他，根本不想理他。

文：是他先說話侮辱我，士可殺不可辱，哼！

九：好啦，好啦，今天給我九嬸婆一個面子，先讓節目順利進行。等事情結束了，要罵再罵，要打再打。一切要先爲大局設想。

文：哼！今天先饒了你，（音量漸小，自言自語）改天再找你算帳。好好一個畫展，被你們攪得四不像，我眞是夠倒霉的……

九：像他們畫畫的藝術家，脾氣比較古怪。三德，你不要跟他一般見識。

德：我……唉！眞衰！

（畫廊之類的藝術中心之音樂聲）

（音樂）

文：麗華，謝謝妳，謝謝妳當我的模特兒。你看，這幅畫是我特別爲你畫的，喜不喜歡？

華：喜歡。……是送給我的嗎？

文：妳說呢？

華：我怎麼會知道？……美珠給我看過你幫她畫的肖像，並沒有這麼大，這麼精緻……所以，我想，你連送給女朋友的，都那麼小了，這幅又大又漂亮的，不可能是要送給我的。

文：（笑聲）我就是要送給妳。

華：眞的？啓文，你這麼做，不怕美珠她生氣？

文：怎麼會？我接近她，爲的就是能有機會認識妳，和妳做朋友，才是我的目的。

華：哦？美珠不是你的女朋友？

文：不是，她只是我的普通朋友而已，我眞正喜歡的是妳。

華：可是……

文：別「可是」這，「可是」那的了，接受我，不必再考慮什麼，那都是多餘的。

華：我……

文：來，我帶你參觀參觀這家店。這是我爸爸給我開的畫廊兼藝術中心，也可以吃一點簡單的飯，菜。裏面是我個人的工作室。

華：哇，佈置得好有藝術氣息。

文：答應我，以後你要常來這兒看我，陪我作畫，這是我們兩個的小天地，妳高不高興？

華：高興。

文：等我成名後，我不僅要在這兒作畫，還要帶你到世界各地去旅行，把各地的奇異風景都畫下來。

華：那眞是太好了，太好了。

（音樂）

（九嬸婆爲大頭仔拉票之宣傳車播放音樂及廣播）

九：美珠，我九嬸婆今天再一次來拜託你，我們是親戚，不管怎麼樣，一定要投大頭仔的票。算來，妳要叫他伯公，大家是自己人嘛。

珠：會啦！我會投給他的。（應付的）

九：伊若做鄉長，對你也有好處。

珠：我知道，你放心，我不會投給別人。

九：還有你老爸。

珠：我會告訴他。

九：還有王三德。
珠：三德？
九：他最聽妳的話了，我希望你能勸勸他。
珠：勸他什麼？
九：勸他不要那麼固執，堅持什麼「原則」。別村的村幹事託他們幫我忙買票，他們都很樂意，就屬他不肯。眞的不知道他那個腦子，唉，怎麼會那樣死盯盯。你就幫我勸勸他，做人要活一點，不要死守什麼「原則」，能賺到撈到好處最重要，「原則」一斤値多少錢？……
珠：九嬸婆，你的意思我知道了。三德一向是個有「原則」的人，我只是他的同事，恐怕不好跟他說這個。況且，他也不一定聽我的。
九：會，只要你跟他說了，他喜歡你，一定會聽你的話。
珠：好啦！（不耐煩的敷衍）我試試，但，我不能保證他一定會幫你們競選拉票。
九：謝謝，那我走了。
珠：慢走。
（九嬸婆之拉票車走掉之音效）
珠：爸，您回來了……快坐下來休息一下，看你的臉色不太好，你剛剛到那兒去了？
父：我去你媽墳上看看，美珠，阿爸……（欲言又止）

珠：阿爸，你是不是出了什麼事？以往除了紀念日之外，你都是在心裏最高興，和最痛苦的時候，才想到去媽媽的墳上。是不是有人欺負你？

父：不是，唉，美珠，阿爸，對不起你。

珠：這句話我不懂。

父：早上，我姪子來說，他經營的養雞場做不下去。雞仔賤賣，虧空太多，債主逼得他到處躲藏。

珠：（急）那我們投資的錢，就都拿不回來了。

父：（難過的）本來阿爸是希望，將那些錢拿去投資，等你嫁人時，可以體面風光一點。誰知道，唉！是我看走眼害了你。（哭泣）

珠：爸，您別這樣，錢沒了還可再賺。這次時運不好，下次小心點就是了。況且，我們還有田地可以耕種，還有其他存款，不必爲這些錢哭泣。您先進去歇著，休息休息，讓我一個人在這兒靜一靜。

（音樂）

（畫廊的音樂、音效）

珠：啓文，啓文……

華：他還在睡覺……

珠：麗華？

華：美，美珠姊！

珠：你怎麼會在這兒？

華：我……呃，我和啓文在作畫，沒……沒有其他的……這……

珠：你們已經住在一起了？

華：本來是爲了作畫方便而已，後來，後來……

珠：麗華，妳怎麼可以這樣？你明知道：我喜歡啓文。

華：可是啓文喜歡的却是我。

珠：麗華，你，無恥到了極點。枉費我一直把你當成最好的朋友。（哭聲）

華：這不能怪我，愛情要發生，是誰也擋不住的，你自己想開一點。

珠：想開一點……虧你說得出口。如果換成是妳，妳的最要好的朋友，搶走你的男朋友，你能無動於衷嗎？

華：啓文說過，他不是你的男朋友。

珠：什麼？他眞的這樣說過？

華：我不會騙你。

珠：那麼是我一廂情願，自作多情？

華：（輕聲）難道不是？……不，我可沒有這麼說。

珠：啓文，我恨你……（激動）

（美珠跑走音效）

（短暫音樂）

德：美珠，你怎麼了？

珠：（哭泣聲）三德，你不要理我。

德：是不是陳啓文，那小子欺負你了，我去找他算帳。

珠：不要，不要去，是我自己自作多情，不關人家的事。（哭泣）他已經跟許麗華兩個人，（哭得傷心）兩個人……

德：好了美珠，你還有我，我對你是始終如初，永不變心，不要再難過了，早一點認清那個人的眞面目也好，不要等以後受騙了，再來後悔莫及。

珠：不要說，不要說這些了，我不要聽，我不要聽……

德：美珠，你要面對現實，那個陳啓文雖然會畫畫，但充其量只不過，是靠父母過日子的富家子。一點也不自立，像這樣的人，還有什麼好留戀的。

珠：他不是像你說的那樣。

德：怎麼不是，他連那個取名叫「藝術中心」的畫廊，也是他爸爸給他錢，才開得起來的。他的畫根本賣不出去，一文不值啊。

珠：啓文堅持的是藝術，是超越，不是一般人能欣賞的，你不了解他。他不是庸俗的人。

德：他移情別戀了，你還要替他說話，你這是何苦？美珠，忘了他吧！這種人不可靠，死了這條心吧！
珠：王三德，我的事不要你管，你馬上給我滾，（生氣）我現在不要看到你。
德：好，我走！你好好休息，不要再爲那個沒有價値的人傷心落淚，等你心情平靜些，我再來看你。哦，不要生氣，事情過了就好。
珠：你走。我不喜歡聽人嚕嗦。
德：我就走，你保重。
珠：我不會有事的。
德：再見。
珠：再見。
（美珠哭聲由近而遠）
德：唉！
（音樂）
（雞叫聲）
父：美珠，阿爸叫你買回來要修厝頂的材料呢？
珠：放在後院。……爸，工人今天會來修嗎？
父：對。

珠：那你要看著他們修，今天鄉公所比較忙，我得早一點去上班。

（機車發動聲）

父：那你去吧！

珠：阿爸，厝頂上面很滑，你眼睛不好，千萬別爬到厝頂上去，讓工人上去就好。

父：知道，知道了，你走吧！

珠：好。

（機車騎走聲）

父：美珠走了，我得趕快開工，把這個厝頂的破洞修好。

（爬上屋頂聲）

父：啊，好險。（差一點摔下去）

（修屋頂敲打聲音）

父：還缺一片瓦，我得下去拿！

（走屋頂聲）

父：啊！（掉下驚叫）

（遠處三德的機車接近聲）（注意不同人的機車聲要區別）

德：美珠，美珠，你在家嗎？……蔡阿伯……

父：哎唷……哎唷……三德……（虛弱的）三德……

德：是不是沒有人在家……

父：我在這裏，快來救我，……三德……

（機車停下聲）

德：蔡阿伯，你怎麼了，怎麼躺在這兒……我扶您起來。

父：唉！我修厝頂，從上面摔下來，腰好痛。

德：有沒有受傷？……啊，腳都流血了。你在這兒不要動，我去找個車來送你去醫院。

父：好，謝謝你……哎唷……

德：你忍耐一下，我馬上來！

（機車走掉聲）

（音樂）

父：美珠，阿爸覺得很慚愧，總是給你惹麻煩。

珠：別這麼說，只是我叮囑過您，別爬到厝頂上去的。

父：唉！我也是想省一點錢，補救投資養雞場的虧空，誰知道弄巧成拙，還摔得下身不能動彈，幸好有三德幫忙，否則，說不定連這條老命都沒了，我住院這幾天，他還天天來看我。

珠：阿爸，他已經把我們家的厝頂修理好，不會再漏雨了。

父：眞的。……這個孩子眞叫人感動，我的手腳受傷，他主動幫我擦擦洗洗，不然，這麼熱的天，身上早發臭了。

珠：我也沒想到他會這麼做。

父：人家說，久病無孝子。我這腰痛，下身不能動的病，少說也要半年才會好。三德說他至少會兩天來幫我洗一次身軀。有的親生兒子也沒這麼孝順。

珠：他眞的這麼說？……我欠他太多了。

父：現在，你還會討厭他嗎？

珠：不，起先我總以爲，他常會爲了一些「原則」，放棄垂手可得的利益，實在太笨了。爲了這些「原則」，他甚至常做一些吃力不討好，爲鄉民謀福利的事，現在，我覺得他是對的。

父：嗯，那麼像這麼有原則有正義感的人，你願意嫁給他嗎？

珠：爸，你又來了，人家又沒有說要娶我。

父：（笑聲）這是遲早的事……

（敲門聲）

華：蔡阿伯，美珠。

（開門聲）

珠：是麗華，請進。

華：蔡阿伯，這些西瓜是剛採下來的，希望蔡阿伯早日康復出院。

父：謝謝你麗華，這一陣子美珠常請假，她的公務，多虧你幫忙。
華：這是應該的。我和美珠是好朋友，又是好同事，我不幫她誰幫她。
珠：麗華最好了。
華：（小聲）美珠，我有事跟你說，到外面去。
珠：爸，我和麗華出去一下。
父：好。
華：蔡阿伯再見。
（兩人找一個安靜的地方，走路聲）
珠：這裏是醫院的休息室，平常很少人來，有什麼話，你說吧！不會有別人聽見的。
華：我現在心情很亂。……我「有」了。……
珠：是陳啓文的？那他知道麼？
華：不知道。我不想告訴他。
珠：為什麼？你不準備生下來？
華：他……他又有別的要好的女朋友，（哭泣）你說，我能把孩子生下來嗎？
珠：陳啓文怎麼可以這樣欺負人，太可惡了。
華：（哭泣）我該怎麼辦？我該怎麼辦？……
珠：麗華，不要難過了，總有辦法解決的。……唉！還是老實的男人，比較可靠。

（音樂）

德：美珠，你阿爸出院了，你也可以鬆一口氣了。

珠：這些日子多謝你的幫忙，我欠你太多了。

德：我們之間，還需要說這些嗎？

（夜晚蟲叫音效）

珠：三德，說眞的，你眞令我感動，我沒有想到，你會這麼勤快的服侍我爸爸。

德：這沒什麼。

珠：換成那個陳啓文，他一定不肯的。

德：也難怪，他是有錢人家的子弟，不像我家境清寒，一切要靠自己。……聽說，你的同事許麗華被他甩了，是眞的嗎？

珠：是眞的。

德：幸好，當初你很明智，沒有受騙。

珠：想到那個時候，眞不好意思，我還大罵了你一頓。

德：不要記掛這事，我知道你不是故意的。

珠：三德，你眞好。

德：美珠，嫁給我吧！我愛妳。

珠：（暗喜）……這……三德，你是一個非常有「原則」的人，我問你，你比較愛你的「

原則」，還是比較愛我。

德：我……我愛「原則」也愛妳，這是兩回事，沒有衝突的。

珠：好，你不說比較愛我，我不嫁。

德：（急）按這……我的「原則」是不能這樣說的，但，我對你的心意，你自己心裏明白，嫁給我吧！你知道我不能沒有你。

珠：三德，我發現，我愈來愈欣賞你的「原則」了。

德：（喜）你是說，你也愛我的「原則」，那麼你願意嫁給我了？

珠：嗯，可是，我也有我的「原則」，就是，你要對我爸爸好，像對親生父親一樣。

德：那是應該的。你嫁給我後，你的父親，就是我的父親，你的「原則」，也就是我的「原則」。

珠：三德，謝謝你，我好高興，你對我做這樣的承諾。

（兩人歡笑聲）

（音樂起）

—全劇終—

錦瑟恨史

錦瑟恨史

柯玉雪・姜龍昭聯合編劇

（民國八十年十二月一日漢聲電台「千古風流人物」廣播劇播出）

人物：

李商隱：號義山，晚唐傑出之詩人，廿五至廿八歲。（商）
韓　瞻：號畏之，商隱的連襟，與商隱同年之讀書人。（瞻）
永道士：商隱學道時之師兄，年約卅餘歲。（士）
來　喜：商隱的書僮，約十六、七歲。（喜）
盧輕鳳：唐文宗的宮嬪，與商隱同年，愛好文學。（鳳）
盧飛鸞：輕鳳之姊，年長二歲，較理智。（鸞）
彩　玉：輕鳳身邊之宮女，約十七、八歲。（彩）

時間：

唐朝開成元年秋至開成四年冬（公元八三六—八三九年）
（國樂配音，採用道教清靜玄妙的音樂。）

報幕：李商隱，是晚唐傑出的大詩人，他生前所寫的「艷情詩」，千古傳誦，歷久不衰，他所留下的一些「無題詩」，其中又隱藏著一些難以猜透的啞謎，經過文學家蘇雪林教授的潛心鑽研考證，終於查出了其中的究竟，原來，商隱年青的時候，曾有過一段痛苦而又無奈的戀情，使他刻骨銘心，終身難忘。……眞是：「此情可待成追憶，只是當時已惘然」。

（有女人自盡，從上一躍跳入深井，落水發出「撲通」水濺聲。）

商：（嘆息）唉，……爲什麼？……要跳井而死呢？……輕鳳……輕鳳……

（哀怨的音樂升起。）

（揷入敲木門的聲音，腳步聲、開門聲。）

韓：義山，……怎麼？……這麼大好的天氣，你不出去走走，一個人在屋子裡喝酒，……又在作詩嗎？

（斟酒聲。）

商：畏之兄，……瞧你，……神采飛揚的，……有什麼好消息似的，……來，先喝了酒再說。……（碰杯聲）乾了！

韓：好，……先乾了再說。瞧你憂心忡忡的，是不是有什麼心事，不妨說來聽聽。

商：唉，我憂心的是當今的局勢，自從「甘露之變」發生以後，朝廷上宦官橫行，他們挾持皇上，濫殺朝臣，篡權亂政的暴行，造成百姓人心惶惶，大唐的天下，如此下去，……眞是令人不敢想像。

韓：義山，你說得很對，……不過，這種言論，千萬別形之於筆墨，若是讓人抓住了把柄，可有「掉腦袋」的危險喔！

商：可是義憤塡膺，骨鯁在喉，眞想一吐爲快！

韓：義山，……你還年輕，凡事還是多忍耐一點的好！

商：不談也罷，來！喝酒，……（倒酒聲）對了，畏之兄，今來舍下，有何貴幹啊？

韓：我是專誠來，送喜帖的，下個月的十號，是我與濮陽郡侯王茂元家的千金成婚之日，務請駕臨，喝一杯喜酒！

商：啊！這麼大的喜事，你到今天才來告訴我啊！令岳丈王公，可是當今知名之士，又家財萬貫，他願把千金的終身託付於你，可眞艷福不淺啊！

韓：義山，我岳丈共有六位千金，我娶的是老大，其餘五位，喜宴之日，我可以爲你介紹認識，若有中意的，我來爲你撮合如何？將來，……我們不就成了「連襟」了嗎？

商：畏之兄，別說笑了，王家有財有勢，我乃一介寒士，那有資格高攀，謝了！

韓：義山，別太妄自菲薄了，一旦你進士考取了，金榜題名，不就佳偶天成了！……好了，不多談了，我還有不少地方要去送帖子，……告辭了！（腳步聲，開門聲離去）

商：不送了，（又喝了口酒）唉！……「金榜題名」談何容易，我已進京考了兩次，都落了榜，……難道，……還會再有希望嗎？

（腳步奔跑聲，跌跤聲。）

商：來喜，什麼事，跑得這麼快，跌痛了沒有？

喜：還好，不疼，……公子，有位道士前來，……求見，他說，他是你在王屋山求道時的師兄，……叫永道士！

商：永道士來了，眞難得。來喜，快請！

喜：是，公子。

（腳步聲。）

商：師兄，……快一年沒見面了，……請坐，……來喜，送茶。

喜：是。

永：義山，……近來可有新作？讓師兄拜讀一番！

商：這一陣子，心緒欠佳，已經很久沒有動筆了！

永：我知道，……你……還念念不忘那位姓宋名華陽的女道士，是不是？

商：師兄，……那已是過去的事了，你就別再提了！

永：修道之士，確應避談男女之事，如今，……你已脫下道袍，一心求取功名，……可有什麼新的發展，……讓師兄也可以早一點喝你的喜酒呀！

商：師兄，小弟兩次落榜，……一肚子的愁悶，……那有空閒來談這些，對了，師兄，此次下山，來到京城，有何貴幹？不妨略爲告知一二。

永：義山，別洩氣！你還年輕，一旦時來運轉，定會高中進士及第，爲兄相信，遲早，你總有功成名就的一天。

商：（苦笑）哈，……，哈……師兄，你是在安慰我，是嗎？

永：不是說客套話，師弟之文才，……十六歲時就名揚天下了。你寫的「才論」和「聖論」，能有令狐楚令狐公所賞識，……可不假吧！

商：好了，師兄，別再給我戴什麼高帽子了，……說正經的，你下山到京城來，總不會是專程來看我的吧！

永：義山，……你沒有聽說，最近皇宮裏在辦喪事，準備建醮大做法事，我是奉命來採購一些法器，並邀集一些道眾進宮，順道來看你的。

商：皇宮裏辦喪事，是誰故世啦？

永：是皇上原配王德妃，也就是東宮太子生身之母。傳說，是被另一個新得寵的楊賢妃氣死的，……唉！宮闈之間，女人爭風吃醋的事，眞是一言難盡！

商：一個皇帝除了王后之外，還有妃嬪、婕伃、美人、才人……廿七個女人，環繞在他左右，……要她們不爭風吃醋，……那是辦不到的事！

永：你說的對，……宮中的怨女，實在也太多了，……我聽人說，有的少女進宮躭了幾十年，到頭髮白了，還見不到皇上一面呢！……好了，別談這些了，……義山，……你以前不是說，希望有機會能去宮裡見識見識，……眼前，……這不就是機會來了嗎？

商：怎麼說呢？

永：反正你進士考試已經考過，等候放榜，閒著也是閒著，要不要穿上道袍，假扮做道士，跟在我後面，混進宮去……開開眼界。

商：好呀！這倒是個好主意，……也是個難得的機會，……只是，萬一露出破綻，被察覺出來，會不會給師兄，……帶來麻煩？

永：這……你無須多慮，爲著建醮作法之事，現在宮裡道士進進出出多的是，誰會特別注意到你呢？……再說，你在王屋山上，也學過道，道門之事又很熟悉，只要把道冠一戴，道袍一穿，……矇混進去，絕不會有人來管你是不是喬裝假扮的。

商：師兄，你這一說，可眞把我說得心動了，……紫禁城內此生還未進去過，……這可眞是千載難逢的好機會！

永：那……就說定了，你打理好一些日常用品，別忘了道裝及法器，……明天，我們就一起進宮！

商：啊，道袍那些東西，我都已丟了，怎麼辦？

永：我那裡還有多的，叫你的書僮來拿就是。

喜：公子，可不可以帶我一起去？……我打扮成小道士，幫你們打雜，不會惹事的！

商：師兄，你看，可以帶書僮一起去嗎？

永：（沈吟一下）好吧！……就帶他一起去吧！……不過，進了宮，可別隨便亂跑呀！

喜：是！謝謝師父。……（笑著）嘻……公子我這……就去整理東西！

（音樂。）

喜：公子，……方才永師父說，西宮後苑有位娘娘的房裡，好像「不太乾淨」，到了半夜，就出現女人啼哭的聲音，……她們很害怕，要請法師去唸經驅鬼，永師父他自己走不開，……要你代他去一下。

商：要我去唸經還可以，……趕鬼，我還沒學過，不行吶！

喜：公子，……永師父已經答應了她們，……別的法師又都在忙，……你就去一趟吧！我看那來傳話的宮女，長得挺不錯的，……她的主子娘娘……是皇上的老婆，……一定更漂亮。

商：你呀！可眞人小鬼大，……來喜，那你跟我一起去！

喜：公子，把道冠戴上，咱們走吧！

商：好，走！……咱們去看看，皇宮的後苑，究意是個什麼模樣？這種禁地，別人想去還進不去呢！

（腳步聲。）

喜：姑娘，……我能請教你的芳名嗎？

彩：我叫彩玉，色彩的彩，玉石的玉，……你吶！你的大名是什麼？

喜：我叫來喜，來來去去的來，恭喜發財的喜。……你家娘娘年紀大不大？等一下我們見了她，該怎麼稱呼她吶？

彩：我家娘娘，姓盧，虎頭盧，名字叫輕鳳，輕重的輕，鳳凰的鳳，……在宮裡，我們都叫她鳳娘娘，她年紀不大，只有廿三歲，……可是十三歲時，她就進宮來了，……她長得很漂亮喔！

喜：這麼說，……皇上一定很喜歡她了，……皇上是不是常到她的宮裡來？

彩：皇上，以前很喜歡她，我們娘娘還跟皇上生過一個王子吶！就是被封為蔣王的宗儉……可是現在，皇上給那個楊賢妃娘娘迷住了，……已經很久沒到娘娘這兒來了！

喜：對了，……我聽說，……那死了的王德妃娘娘，也是給那位楊賢妃娘娘氣死的，是真的還是假的？

彩：大家都這樣傳說，……不過，是眞是假，我可不敢隨便瞎講，掌起嘴來，可不是好玩的，……對了，你師父貴姓啊？等一下娘娘問起，我怎麼說呢？

喜：我師父姓李，木子李，名商隱，商人的商，隱士的隱，字義山，仁義的義，山水的山，他寫的詩，大家都說好唷。

彩：眞巧，……我娘娘也很喜歡寫詩耶！……（腳步聲）啊……到了，道長，……請進。

（推開門聲）

喜：師父，先請。

彩：娘娘，……作法驅鬼的道長，我已經請來了。……娘娘，我來給你介紹，這位年長的道長姓李，名叫商隱，是師父，年少的道長，是徒弟，叫來喜。

商：無量天尊，貧道等叩請娘娘金安。

鳳：兩位道長，免禮，……請坐，彩玉，備茶。

彩：是。（倒水聲）

商：來喜，作法的香燭、經卷、還有法器，都快準備好！

喜：是！師父！

（搬動桌椅，鈴鐺及點燃香燭等聲音。）

商：請問娘娘，……是不是就在這間屋子裡，夜半可以聽見女鬼的哭聲？

鳳：是呀！昨晚，我睡不著，過了三更，先是聽見一些窸窣的腳步聲，後來陰風陣陣吹來，就傳來一個女鬼的哭泣聲，待我點上蠟燭去察看時，……卻又什麼也看不見了，真把我嚇得再也睡不著了。

商：娘娘不用害怕，待貧道唸經作法以後，想那女鬼必定再也不敢來了！

喜：師父，一切都準備好了，你，就開始吧！

商：（先咳嗽一聲，就裝模裝樣，捻訣舞劍口中喃喃唸起：「天靈靈，地靈靈……」等經文來，可用道士唸經錄音帶，交雜著鈴聲不時搖動聲，滿像一回事，音漸低弱，過場結束）

商：啓稟娘娘，法事經已完畢，貧道要告辭了。

鳳：法師，且慢，……請等一等。

商：娘娘還有什麼吩咐嗎？

鳳：我想請法師，畫兩張符咒，讓我貼在房門上，這樣，鬼才不敢上門，……不是別的法師，都是這樣做的嗎？

商：畫符？（爲難、心聲）糟糕，我還沒學會畫符就下山了，這下我這假道士，不就要露出馬腳了嗎？這怎麼辦呢？（恢復正常聲調）啊！我剛才來的時候忘了帶符紙，來喜，你給我去一趟前面醮場，找永師父說……娘娘需要兩張趕鬼的符咒，請他代寫一下，……拿來給我張貼！

喜：是，師父，我這就去。（腳步聲遠去）

鳳：道長，我聽你說話的口音，是不是浙東地方的人？

商：貧道原籍是懷州，後遷居鄭州，不過幼年時……在浙東長大，娘娘，是浙東人？

鳳：對啦！……聽你一開口，就覺得十分親切，方才我聽侍女彩玉說，道長還擅長作詩，是嗎？

商：只是隨便寫寫，不值識者一笑。

鳳：道長，……從你剛才唸經做法事的種種看來，好像並非眞的專業法師，又忘了帶畫符的符紙，（正色的）你說實話，究竟是什麼身份？我不會叫人把你抓起來治罪的！

商：娘娘既已識破，那……我也只好直說了，……在下乃一介寒士，進京應試等候放榜，……因過去曾上山學過道，……蒙一起學道之師兄帶領，……混進宮來，也只是想增長一些見識，絕無其他不良之企圖，望請娘娘恕罪。

鳳：噢，原來是個進京趕考的讀書人，……好，……我不爲難你，你能把你寫的詩，寫給我看看嗎？

商：好，……我現在就寫，……還請，娘娘多指教！

（研墨聲，鋪紙聲。）

鳳：敢問，……公子，今年貴庚多少？

商：小生生於憲宗元和八年，歲在癸巳，是屬蛇的。今年虛歲是廿四歲，實足年齡是廿三歲。

鳳：你是幾月出生的？

商：三月初五。

鳳：啊！……我是九月出生的，……我也屬蛇，想不到我們竟是同年的，只是你比我大六個月，是我的兄長，……你家裡有幾個兄弟姐妹？

商：我上有三個姐姐，均已出嫁，下有弟妹五人，我是長子。……娘娘有幾個兄弟姐妹？

鳳：我只有一個姐姐，她叫飛鸞，比我大兩歲，是屬兔的，……十年前和我一起，被浙東官府選中，進貢送進京城來，就再也沒離開過皇宮。

商：娘娘，眞是好福氣！令人羨慕！

鳳：凡是在宮外的人，都這麼說，誰能體會到，我們生活在深宮中人的苦悶和煩惱！唉，眞是不說也罷！

商：娘娘怎麼這麼說呢？平常的女子，想進宮，比登天還難呢！你們吃的是山珍海味，穿的是綾羅綢緞，又能蒙受天子的寵愛，還有什麼苦悶和煩惱呢？

鳳：李公子，你是一個寫詩的人，難道你沒聽說過本朝「紅葉題詩」這個故事嗎？（吟詩）「一入深宮裡，年年不見春，聊題一片葉，寄與有情人」，這就是我們生活在深宮中人的心情和寫照！

喜：（奔跑腳步聲進入）師父，……永師父畫的「驅鬼符」拿來了，他說一張貼在房門口，一張貼在床架上，……「鬼」就再也不會來干擾了！

商：拿給我，讓我來貼！（搖著鈴，又喃喃默唸經句）……好了，……娘娘！符貼好了，……貧道，也該向娘娘告辭了！

鳳：彩玉，天黑了，你去點上燈籠，送兩位道長回醮場去！

彩：是，娘娘。

（音樂。）

喜：公子，……公子……

商：來喜，……有什麼事？這樣大叫大嚷的！

喜：公子，你又在寫詩啊？

商：嗯。

喜：方才永師父說，宮裡七七四十九天的法事，明天就告結束了，今後，我們就再也別想穿上道袍，混進宮裡來玩了，眞是的，……怎麼日子，會過得這麼快呢？

商：明天，過了明天，我們就再也無法和鳳娘娘他們見面了？

喜：是啊！公子，……我瞧得出來，……你很喜歡那位鳳娘娘，對不對？而那位鳳娘娘，也很喜歡你，你們每一次見了面，總是天南地北，聊個沒完沒了，好像有多少話，永遠說不完似的。

商：來喜，你別說我，……你見了彩玉，還不像掉了魂似的，避開我，不知躲到那兒去了，要我叫了好半天，才把你找到。

喜：公子，我從小到大，……從來也不知道什麼叫「情」，什麼叫「愛」！現在，我才嘗到「愛情」的滋味，啊！眞甜蜜！要是從明天起，我再也見不到彩玉，我眞不知道日子該怎麼過下去！公子，你說我們該怎麼辦才好呢！

商：來喜，我雖比你年長幾歲，你的心情，我完全了解，說眞的，若是從明天起，我再也見不到輕鳳，我一定飯也吃不下，覺也睡不好，什麼事都不能做了！

喜：公子！要不要我去告訴彩玉，要她和娘娘一起逃出宮來，我們四個人一同遠走高飛！

商：你想得倒美，……一旦被官府查到了，……我們四個人，全都別想活命了。

喜：那，……除了這樣，還有什麼更好的法子呢？

商：我一時也想不出更好的法子！唉！……早知道這樣，我們乾脆別認識就好了！不相識不就沒有這樣的煩惱了嗎？

喜：對，說得對！不認識就好了！

商：可是偏偏老天爺讓我們不但相識，而且還讓我們相愛！唉！皇天在上！爲什麼要這樣作弄我們呢？

喜：公子，別埋怨了！至少今天晚上，我們還有一次見面的機會，要不要我代你送個信去，告訴鳳娘娘，說你今晚會去和她話別。要她別走開，在房裡等著。

商：好呀，……來喜，……那就麻煩你，……把這首詩順便代我先送去！

「昨夜星辰昨夜風，畫樓西畔桂堂東，

身無彩鳳雙飛翼，心有靈犀一點通……」

（音樂）

鳳：（看詩，吟誦起來）

「樓上黃昏欲望休，玉梯橫絕月中鈎，

芭蕉不展丁香結，同向春風各自愁」，……

鸞：鳳妹，你一個人躲在房裡看什麼呀？

鳳：鸞姐，……我在看一首詩！

鸞：是誰寫的詩？……是寫給你的嗎？……「同向春風各自愁」，……這是什麼意思呢？

鳳：姐，……（欲語還休）你讓我怎麼說呢？

鸞：我知道了，……是不是這幾天，……常來你房裡爲你趕鬼的那位道長，寫給你的？……你和他……談得很投機，時常到了吃飯的時候，你連飯都不想吃了！

鳳：姐，……過了明天，宮裡建醮的法事結束後，他就再也不會到宮裡來了，我和他，就再也無法見面了！

鸞：鳳妹，妳要知道，你是一個宮嬪，……除了皇上，你心裡是不容許有第二個男人存在的！再說，你也不能隨便出宮，那又何必爲了一個道士，動了凡心呢！

鳳：姐，……他並不是眞的道士，他是個未考上進士的讀書人，憑他的才學、智慧，我相信終有一天，他會考取進士，出人頭地的！

鸞：鳳妹，……別胡思亂想了，就算他考取了，做了進士，又能怎麼樣呢？他出人頭地，難道，他會做「皇上」嗎？那是不可能的，你還是忘了他吧！別自尋苦惱，宮裡面大家大眼瞪小眼，互相監視著，若是有一些風言風語，傳到皇上的耳朵裡去，那可就麻煩大了，到時候，姐姐縱然想護著你，怕也救不了你！

鳳：姐，你說的這些，我都明白。可是，我心裡就是放不下，老是在叨念著他！……這怎麼辦呢！

鸞：鳳妹，你年紀也不小了，聽姐姐的勸，沒錯！……千萬別走錯一步，「一失足會成千古恨」的，……時間不早了，我去睡了，你也早點歇着吧！……明兒見。……（腳步

聲離去）

鳳：明兒見。

（鐘漏滴水聲，表示時間過程。）

彩：（悄悄地說）啓稟娘娘，李公子來了。（開門聲）

鳳：彩玉，你在外面守著，……若有人經過，給我咳嗽一聲。

彩：是，娘娘。……（關門聲）

商：娘娘，我寫的詩，你看到了嗎？

鳳：看到了，……「身無彩鳳雙飛翼，心有靈犀一點通」，李公子，你眞寫得太好了！

商：娘娘，我能叫你的名字「輕鳳」嗎？在我的心目中，你早已不是娘娘，你是我的心中的「女神」。

鳳：義山，你把我形容得太高貴了，我也不過是一平凡的女子。宮裡建醮的法事結束以後，你就再也不能進宮來了，以後終其一生，也許我們就眞的再也不能見面了。

商：輕鳳，別這樣說，只要你願意，我想，我們還是可以暗中聯絡，時常見面的，我的書僮來喜，他很喜歡你的侍女彩玉，由他們傳遞消息，我們還是可以常相見面的！

鳳：你剛才來的時候，有沒有被人發現？

商：我是從小閣、斜門穿過迴廊走來的，況且穿了內侍的衣服，沒有被人發現。我只記得你的房屋前，有一棵桂花樹，只要聞著桂花的香味走，大概就不會走錯！

鳳：你眞聰明！

商：不，你比我更聰明！在我這一生，還沒遇見過比你更聰明的女子！你看，你不但會養蠶、織絹、裁衣，還會焙藥、搗藥、擦玉、磨犀，更難得的是會作詩、唱歌、彈瑟、舞蹈，……普天下女子，能會這麼多才藝的，也沒有幾個吧！

鳳：你眞會說話，這些本事，都是我進宮以後，近十年的磨練，一樣一樣慢慢學會的，也沒什麼稀奇！

商：你說沒什麼稀奇，……可是，在我的眼裡，十個才女，也抵不上你一個！

鳳：你呀！眞把我說得太好了！對了，義山，……在曲江，……皇上有個「離宮」，你有沒有聽說過？

商：曲江有個皇上的「離宮」，……在那裡？我不太清楚。

鳳：距離長安東南十里遠，所謂「離宮」，也就是皇上的「別館」，……大概再過三個月，皇上會帶我們去那兒小住，那兒風景眞是美極了，煙水明媚，南有「芙蓉園」，西臨「慈恩寺」、「杏園」。到了春天，花卉環列，人在裡面，就像進了圖畫一樣！

商：你這一說，我想起來了，每年皇上擺席宴請新科狀元和新貴人的地方，也就在那兒，對不對？

鳳：對。「離宮」那兒的門禁，不像皇宮那樣森嚴周密，負責巡查的羽林軍，人數也有限，……到了「離宮」，我們就可以經常偷偷的連絡見面！不會有人知道的！

商：輕鳳，……那你們什麼時候，才搬到「離宮」去住呢？

鳳：我不是已經說過了嗎？大概，還要再過三個月。

商：「三個月」，一個月卅天，三個月要九十天，……啊！……好漫長的日子，我眞恨不得，……明天，你們就搬到「離宮」去住！

鳳：瞧你，急成這樣子！

商：輕鳳，有人說：「一日不見，如隔三秋」，如今我們要分開九十天，那要如隔多少個秋？過去，在我的生活中，除了讀書，就是作詩，如今我才領悟到人生除了讀書、作詩以外，還有更重要的心靈上的寄託，……輕鳳，……你說不是嗎？

鳳：義山，……我相信，……你會有揚眉吐氣的一天，……可是我，……我時常在想，我就像那養的蠶一樣，生下來，就是被人用桑葉日夜飼養長大，到了有一天，吐絲結成了繭，把自已困在裡面，究竟，她活著有什麼意思呢！

商：輕鳳，……別太感傷了，蠶也會破繭而出的一天，蠶後代的生命，還等待著她變成蛹後，去延續完成呢？

鳳：義山，我們的交往，也會有這樣的一天嗎？

商：會有這麼一天的，輕鳳！你看，今晚窗外的月色多美！我又想作詩了。

喜：（腳步聲揷入）公子，……時候不早了，月亮也快西沉了，我們快回去吧！

商：輕鳳，我眞捨不得離開你，……可是，我又非離開你不可！

鳳：義山，我又何嘗願意你走呢！
彩：娘娘，……讓李公子走吧！……來日方長，你們還是有法子見面的！
（低沉哀怨的音樂。）
（斟酒聲，酒樓猜拳吆喝聲，顯示兩人在一酒樓喝酒。）
韓：義山，……來，來，恭喜你高中進士，……這一杯酒，你非乾了不可。
（碰杯飲酒聲。）
商：畏之兄，我考了三次，……才通過「進士」這一關，唉，求取功名眞不容易！
韓：我早給你推算過，三是你的吉祥數字，憑你的眞才實學，遲早一定會考取的，我沒說錯吧！
商：唉！（嘆息聲）考是考取了，可是如今我又遇上了新的難題，不知該如何解決才好！
韓：什麼新的難題，不妨說來聽聽看。
商：你是知道的，現任興元尹，山南西道節度使的令狐楚令狐公，是最賞識我才學的恩師，我十七歲那年，他就請我去他幕府做巡官，後來又親自教導我作駢體章奏，這幾年他更一再資助我路費和生活費，進京應試。如今，得知我中了進士，又再三寫信，要我去興元幕府任職。
韓：這是好事，有什麼爲難呢？
商：難的是招國李執方將軍，不久前，攜我同遊曲江，對我期望亦頗爲殷切，他希望我留在曲江，他有姻親，願意爲我作媒，……畏之兄，你說我該何去何從呢？

韓：義山，爲了報答你的恩師令狐公的知遇之恩，你是該去興元府就職，……可是，爲了你的終身大事，我覺得你也不該放棄了李將軍爲你提親的好機會！

商：爲什麼呢？難道婚事，比前程更重要嗎？

韓：義山，最近，我拜讀你寫的一些「無題」、「有感」而作的詩篇，似乎你心中早已有所屬了，……是否紅鸞星已動，……早已有了意中人？

商：（自語）我，已有了意中人？（緊張）畏之兄，你聽誰說的？

韓：瞧你緊張的樣子，我只是猜想而已，告訴你實情吧！你知道李執方將軍是誰嗎？他是我岳母大人的親兄弟，他要爲你作媒的姻親，也就是我岳丈王茂元的二千金，你們上次在曲江宴會時，不是互相見過面的嗎？你替我岳丈起草寫的幾封章奏，他老人家大爲讚賞，恨不得你馬上做他家的東床快婿呢！

商：（恍然大悟）啊！難怪你，……要我別放棄這樣好的機會，今天你請我來此酒樓喝酒，看來也是有「目的」的嘍！

韓：怎麼？你不想接受我這樣的好意？還是決定去追隨令狐公，在他的幕府做事？

商：（嘆息）唉！我的苦衷，不是你所能瞭解的。

韓：怎麼？你還有別的難言之隱？

商：畏之兄，小弟尚有老母在堂，婚姻大事，總得稟明家母，才能決定，你說不是嗎？

韓：義山，你眞不愧是一個「孝子」，……好吧！這件事過些日子，我再來聽回音，……

　　喏，……乾了這一杯！

商：遵命！……乾杯！（碰杯飮酒聲）

（音樂。）

（夜半敲三更聲。）

喜：公子！

商：來喜，怎麼樣？……我們可以上船了吧？

喜：公子，……方才彩玉派人送口信來說，今晚，皇上在「離宮」宴客，楊賢妃娘娘，鸞娘娘，鳳娘娘，她們都要去陪皇上喝酒，觀舞，……所以，原先說好的約會，只能臨時取消了！

商：什麼？約會取消了？可是，我明天就要去興元府報到了，我這一去，眞不知何年何月，才能再與她見面，……怎麼突然說取消，就取消了呢！

喜：公子，我知道你心裡很難過，……但是，皇上宴客，有什麼辦法呢？彩玉還說，最近這一陣子我們常從水路坐船進「離宮」，可能已被人發現，向上面告發了，……昨兒晚上，楊賢妃還特地把鳳娘娘叫了去，警告她，要注意自我檢點，……萬一出了亂子，……讓皇上知道了，……可不會輕易放過她的！

商：是嗎？

喜：彩玉說，一旦出了事，女的是「絞死」，男的是「斬首」，……休想還能活命。公子，……我勸你，……還是把鳳娘娘給忘了吧！

商：來喜，……你不知道，……她已把什麼都給了我，……我怎麼能就這樣把她忘了呢？我……李義山，……總不能做一個負心的薄情郎，我……要設法……娶她，……和她生活在一起，過一輩子。

喜：公子，……你太痴、太傻了，……鳳娘娘，……是皇上的女人，……她怎麼能出宮，嫁給你呢？……韓公子說的很對，……我看，公子還是和王家的二小姐成親，這樣才能兩個人生活在一起，過一輩子。

喜：來喜，……我們來想法子，……幫鳳娘娘逃出宮來，那樣，不就可以了嗎？

喜：公子……深宮內院都有禁衛羽林軍守著，鳳娘娘，……就是長了翅膀，也飛不出來，……公子，你別做夢妄想了，還是死了這條心，……多爲自己的前程著想才要緊！

商：來喜，……照你這麼說，……我今晚，……非冒險去闖一闖不可，萬一，……眞被抓到了，……只要再讓我見她一面，就是死了我也甘心！

喜：公子，（攔阻住）你不能去，……你千萬不能去！

商：來喜，……我非去不可，……要是你怕死，怕受連累，……你不用去，我一個人去，……就是死，我也要和她死在一起！……（大聲）放手，來喜，……你別拉住我，放手呀！

喜：（哀求）公子，……我給你跪下（跪下聲）聽我來喜一聲勸行不行？……你……不怕死，你死了，對得起你的「娘」嗎？……你還能稱得上是個孝子嗎？……老太太，會怪我，把我罵死，打死的！

商：（提到娘，商隱才軟了下來）來喜，……你起來，……我，……不去，就是了。

喜：公子，……謝謝你救了我，也救了你自己。

商：來喜，鳳娘娘曾送我一具錦瑟，我決定回贈她一個「玉盤」，這上面刻了我的名字，……還有這封信，……這首詩，……你想法子，……代我去送給她，……你肯答應嗎？……讓她留著做個紀念。

喜：好，……公子，……這信和玉盤，我來想法子，一定給你送到。

（音樂。）

鳳：（吟詩）「相見時難別亦難，東風無力百花殘，

春蠶到死絲方盡，臘炬成灰淚始乾」……

鸞：鳳妹，……他已經走了一年了，……你還日夜唸著他寫給你的這首詩，難道，……你還沒有把他給忘記啊！

鳳：姐，……這一輩子，我再也忘不了他，……就是他死了，……他的影子，也還活在我的心裡，永遠消失不了。

鸞：我眞沒有想到，……愛情的魔力，會有這麼大。……鳳妹，當今朝廷上，分爲牛、李

二派，互相鬥爭得很厲害，你知不知道？

鳳：一派以牛僧孺爲首的叫「牛黨」，一派以李德裕爲首的叫「李黨」，這誰都清楚，還用問我嗎？

鸞：既然你知道，我再問你，李公子過去在令狐楚幕府做事，是牛黨中的人，如今，令狐楚死了，他怎麼又改投入王茂元的幕府，去做起校書郎來，他難道不知道王茂元節度使是「李黨」中的人嗎？像這樣朝秦暮楚、變來變去的人，……我看，絕非是有情義之士，……鳳妹，你還是睜大眼睛看清楚，別讓愛情沖昏了頭。

鳳：姐，……義山絕非忘恩負義之徒，……他只是爲了自己的政治理想，在奮鬥，……他從未捲入朋黨之爭。

鸞：對了，我還聽到一個更不利的消息，……你想不想知道？

鳳：什麼更不利的消息？

鸞：我聽說：李義山已經做了王茂元的乘龍快婿，和王家二小姐成親了。大家都在說要不然他也不會這樣容易，就通過了吏部舉行的「博學鴻詞科」考試，被分派出去，做一名九品官了。

鳳：姐，……你這是那兒聽來的「謠言」？……（哭著說）我不相信這是眞的！……

鸞：唉！……我也希望這是「謠言」，不是眞的。……鳳妹，別哭了，聽姊姊的話，……還是把他忘了吧！

（音樂。）

（彈古琴瑟聲，深夜中，遠處傳來珮玉有節奏的捶擊聲，有如暗號。）

彩：娘娘，……別再彈琴了，你聽，有回應的玉珮捶擊聲，是李公子和來喜他們來了。……（琴聲停止）

鳳：彩玉，……快，點上燈籠，去接李公子他們進來。……注意，別讓小黃門，看見了。

彩：是，娘娘。（腳步聲出）

商：輕鳳，……你怎麼啦？每次我來，見了面，你總是高高興興的，這一次，……怎麼啦？……是誰惹你生氣了？臉上冷冷的，一絲絲笑容也沒有。

鳳：義山，我聽到不少有關你的「傳言」，……你能給我解釋一下嗎？

商：什麼傳言？你說給我聽聽？

鳳：大家都說你，是一個忘恩負義的人，過去見牛黨得勢，就去令狐楚手下做事，如今牛黨失勢了，你就不顧一切，改投入李黨的門下，去討好涇原節度使王茂元，……在他手下做官，你這樣棄牛投李，不是太沒有情義了嗎？

商：輕鳳，……別人是有這樣誤會我的看法，但是，鳳，……我們相識迄今已近四年，難道，我的爲人你還不瞭解嗎？過去，我少年時，令狐楚因爲賞識我，對我有知遇之恩，我才去他幕府任事，如今他生病死了！……而在多次接觸中，王茂元也同樣欣賞我的才能，再三誠意邀請，爲了同樣報答他對我的垂愛，我才去他幕府任事，這根本談不上什麼棄牛投李，……爲什麼非要把我推入牛李朋黨之爭的漩渦裡去呢！

鳳：義山，我理解你的爲人，可是別人不這樣想！

商：唉，朋黨相爭，到處挑撥造謠，無事生非，大唐的天下，國勢已經日形衰弱，再這樣紛爭下去，眞是不堪想像，我李義山，只是一心爲朝廷做事，怎麼說我是在爲某一黨效命呢！

鳳：義山，朋黨紛爭之事，既然你說明白了，我也同意你的看法，現在，……我要問你的是：聽說你已做了王茂元的女婿，與王家二小姐正式成親了，……這是不是別人故意造的「謠言」呢？

商：王茂元十分器重我，確有意將他的二千金，許配與我，……但是，我沒有答應這門婚事，……我只是在拖延，希望他能打消這個念頭。輕鳳，……你放心，這個世界上，我愛的只是你一個！除非……

鳳：除非怎麼樣？

商：除非你變了心！再或者你，……死了，……我才會接納別人對我的愛。

鳳：義山，……你眞的這樣愛我嗎？

商：「春蠶到死絲方盡，蠟炬成灰淚始乾」……我寫給你的詩，你忘了？

鳳：義山，既然你這樣說，……現在我要告訴你一件事，很重要的一件事，……你說：「我該怎麼辦？」

商：什麼很重要的事？是不是，……皇上已經知道了我們的交往？
鳳：不，……比這更嚴重！
商：究竟是什麼事？……輕鳳，你快說呀！
鳳：（吞吞吐吐，鼓起勇氣說出）我，……我……已經有了……你的孩子！
（音效震撼升起。）
商：輕鳳，……是眞的嗎？……你確定，……這是我的孩子？
鳳：皇上，……已經很久很久，……沒臨幸我了，……除了你，……難道還懷疑我另有別的男人嗎？
商：（著急）這，……怎麼辦？
鳳：我也不知道，……該怎麼辦？萬一皇上知道了，我只有跳井去自盡！
商：不，輕鳳，別這樣想，也許我們，……可以想出更好的辦法！
鳳：還有什麼更好的辦法？我姐姐也知道了，……她說，……她可以找到一種墮胎的藥方，讓孩子流掉！可是，……我不忍心，……我不希望，這孩子還沒來到世界，就結束了生命。
商：輕鳳，我也不贊成這樣做！我要這孩子生下來！
鳳：義山，……怎麼生呢？……你不怕，……自已被連累，有生命的危險！
商：爲了愛你，輕鳳，……我們生，生在一起，死也死在一塊兒！

鳳：（相擁而注）義山，你這樣說，太使我感動，……只是，……懷孕是長久的等待，也許等不到臨盆，……我們就都命歸黃泉了！

商：輕鳳，……暫且忍耐一下，我認識一些道士，我去拜託他們找妥一家道觀，你再請求皇上，准你出家修道，到道觀去做女道士，這樣，……出了宮，不就安全了嗎？你說好不好？

鳳：義山，還是你聰明，能想出這樣的好辦法！只是，皇上會准我出家去修道嗎？

商：輕鳳，那全看你自己努力了，從現在起，我們分頭來進行，務必讓我們的孩子，能平安的生下來。

鳳：好吧，我們分頭來進行。

（音樂。）

鸞：（急呼呼地）鳳妹，不好了，宮裡出事了，你快逃吧！

鳳：鸞姊，發生了什麼事，你快說呀！

鸞：東宮太子昨晚自殺死了，你聽說了嗎？

鳳：我聽說了，……還有人說，他不是自殺死的，是被人下毒毒死的。

鸞：鳳妹，我方才聽到一個更可怕的消息，說下毒的人就是你，因爲楊賢妃，沒生王子，……而你爲皇上生了個王子，……東宮太子死了，你的王子，將來就有機會繼承王位，……所以說，……你的嫌疑很大。還有許多謠言，說你私通外人，擾亂宮闈，皇上聽了這些謠言，大爲震怒，準備派羽林軍來你的寢宮搜查證據！你和他的那些東西，趕緊清理一下，……要不，一定會連累到李公子！那不慘啦！

鳳：我知道了，一定是楊賢妃故意造的謠言，我怎麼會對東宮太子下毒手呢！

鸞：鳳妹，別說這麼多了，快把李公子寫給你的那些信和情詩燒了吧！遲了來不及了！

鳳：彩玉，彩玉，快來幫忙，……把李公子送我的東西，清理出來。

彩：是，娘娘！（一陣翻箱倒篋開抽屜，撕紙聲）啊！這只玉盤，上面有李公子刻的名字！一旦查出就糟了。

鳳：快給我，姊姊，……別清理了，……清理不完了！彩玉，我現在寫一封信，麻煩你想法子找人送給李公子，要他快逃，趕緊離開京城，越遠越好。

彩：是，娘娘，你快寫吧！

鸞：鳳妹，……羽林軍，馬上就來清宮了，你還有時間寫信？唉！眞急死我了。

（緊張急劇的音樂。）

鳳：義山：當你看到這封信的時候，我已經離開了這個世界，我們今生無緣，只能求諸來生了。人世間，眞是太可怕了，……你因爲有才學，遭人嫉妒，到處傳說破壞你名譽的謠言，而我，……只不過，因爲爲皇上生了個王子，就遭受到惡人的陰謀陷害！唉！……難道這一切都是命運的安排嗎？

但願我的死，能使你免受牽累，義山，來世再見。

輕鳳絕筆

商：唉！……輕鳳，……都怪我不好，……多情自古空餘恨，我們不認識就好了，爲什麼偏偏要相遇相識又相愛呢？

喜：公子，事情已經過去了，你就別再難過了。

商：來喜，……我聽說，鳳娘娘跳井以後，她的姊姊也跟著跳了井，是眞的嗎？

喜：是的，……她們姐妹倆相依爲命，在宮中過了十幾年，妹妹死了，姊姊當然也活不下去了。

商：唉！……眞是可貴的「姊妹情深」。

（音樂。）（敲木門聲。）

商：誰來了？來喜，去開門。（開門聲）

喜：公子，是永師父來了。

永：（腳步聲）……義山，我又下山來了，你是不是病了，臉色這麼憔悴？

商：我沒病，只是心情不好，眞像病了一樣，師兄，你下山來有何貴幹？

永：皇宮裡辦喪事，又要建醮做法事了，……這次死的人可多了，除了東宮王太子以外，聽說，還有兩位宮嬪，十幾個樂工和宮人。對了，師弟，……這一回做法事，……你要不要再假扮道士，跟我混進宮去玩一玩啊！

商：師兄，謝謝你的好意，此生，我再也不想進宮去了！

永：最近，有沒有寫什麼新的詩作，……讓我拜讀一下，先睹爲快。
商：有，……我才剛好寫一首「錦瑟詩」，……請永師兄指教。
永：（紙張翻動聲）
「錦瑟無端五十弦，一弦一柱思華年；
莊生曉夢迷蝴蝶，望帝春心託杜鵑；
滄海月明珠有淚，藍田日暖玉生煙；
此情可待成追憶，只是當時已惘然。」
啊……眞是一首好詩。只是此情可追憶的，是誰呢？
商：這是一個秘密，……恕我不能告訴你。唉！（感觸萬千地）「此情可待成追憶，……
只是當時已惘然。」
（哀怨的音樂升起。）

（全劇終）

附錄：本劇寫作參考書目

李義山詩集　朱鶴齡箋註　臺灣學生書局
空大「詩詞曲賞析」（中冊）　張夢機等編著　空中大學

中國文學家故事　姜濤主編　莊嚴出版社
玉溪詩謎正續合編　蘇雪林著　臺灣商務印書館
新校資治通鑑注　楊家駱主編　世界書局
唐史　章羣著　華岡出版有限公司
玉谿生詩箋注　清、馮浩注　臺灣中華書局
樊南文集詳注　清、馮浩注　臺灣中華書局
樊南文集補編　清、錢振倫、錢振常注　臺灣中華書局
李商隱評傳　劉維崇著　黎明文化事業公司
李商隱詩研究論文集　中山大學中文學會主編　天工書局
李義山詩研究　黃盛雄著　文史哲出版社
李商隱和他的詩　朱楔等著　學生書局
李商隱研究　吳調公著　明文書局
李商隱傳　董明鈞著　國際文化事業有限公司
李商隱詩選　陳永正選注　遠流出版社
中國歷代大詩人　綜合出版社
晚唐傑出的詩人李商隱　郁賢皓（單篇）